1988

Heath's Modern Language Series

UN
MARIAGE D'AMOUR

PAR

LUDOVIC HALÉVY

EDITED WITH NOTES AND VOCABULARY

BY

RICHMOND LAURIN HAWKINS

INSTRUCTOR IN ROMANCE LANGUAGES, HARVARD UNIVERSITY

———◆———

BOSTON, U. S. A.

D. C. HEATH & CO., PUBLISHERS

1911

Copyright, 1908,
By D. C. Heath & Co.

INTRODUCTION

Ludovic Halévy was born in Paris, January 1, 1834. Upon
the completion of his studies in the *lycée Louis-le-Grand* he entered
the service of the French government, and held responsible
positions in the State and Colonial Departments and in the
Legislative Assembly. These duties, however, did not prevent
him from following his natural inclination for literary work.
Under the name of Jules Servières at first, and later under his
own name, he produced a number of comedies and operettas,
some of which were set to music by Offenbach, Bizet, Lecocq,
and Delibes. In 1865 he relinquished his position in the Legislative Assembly to devote his attention exclusively to letters.
An indefatigable worker, his literary output soon became enormous, — short stories, farces, comedies, ballets, and operettas
from his pen appeared in profusion.

The majority of his theatrical pieces were written in collaboration with a chance acquaintance, Henri Meilhac, whose bizarre
and fantastic imagination served as a stimulus to Halévy's witty
and realistic tendencies. Among the best known of the light
operas due to the combined efforts of the two authors may be
mentioned: *la Belle Hélène*, *Barbe-Bleue*, *la Vie parisienne*, *la
Grande-Duchesse de Gerolstein*, and *les Brigands*, all with music
by Offenbach; *Carmen* (based on Mérimée's celebrated *nouvelle*),
with music by Bizet; and *le Petit Duc*, with music by Lecocq.
The greater part of these pieces reflect clearly the period in which
they were written. The Second Empire, with all its materialism,
licence, and extravagance, was striving for a single goal — the

iii

enjoyment of the pleasures that great commercial prosperity had made possible. The operettas of Meilhac and Halévy are a direct expression of the then prevailing ideas and ideals, — under a diverting, scintillating, and often fantastic cloak a constant mockery and tearing down of all that had formerly been respected in art, politics, and morals.

Of their comedies, *Froufrou* alone seems to possess the elements of permanence, although *les Sonnettes*, *le Roi Candaule*, *la Boule*, *Fanny Lear*, and others have won the hearty approval of the public.

La Roussotte (1881), a farce, was the last work written in collaboration by Meilhac and Halévy. Thereafter the latter almost completely abandoned the theatre for the novel, producing in rapid succession *Monsieur et Madame Cardinal*, satirical studies of theatrical life; *l'Abbé Constantin*, a great favorite both as a novel and as a play; *les Petites Cardinal*, *la Famille Cardinal*, *la Princesse*, *Criquette*, and *Karikari*. In the novel, Halévy is especially fond of dealing with the events and emotions of simple life. These he treats with infinite attention to detail, the development of a single episode frequently furnishing the material for an extensive work.

His short stories, *l'Insurgé*, *Un Mariage d'amour*, *Un Grand Mariage*, *la Petite Caille plucheuse*, are unpretentious productions, written in a lively, concise style.

On the 4th of December, 1884, Halévy was received as a member of the French Academy, led to his *fauteuil*, as a contemporary critic expresses it, by the hand of the excellent "Abbé Constantin."

R. L. H.

UN MARIAGE D'AMOUR

LUI,[1] sur un agenda,[2] tous les matins et tous les soirs, sans phrases, en style télégraphique, écrivait un petit programme et un petit bulletin de sa journée. Il avait commencé à vingt ans, le 3 octobre 1869, et voici quelle était la petite note inscrite à cette date: 5

Je suis nommé sous-lieutenant au 21e[3] chasseurs.

Le 31 décembre venu, il mettait dans un tiroir l'agenda de l'année expirante et passait à l'agenda de l'année suivante.

ELLE, avec plus de soin et de développement, sur de gentils volumes reliés en maroquin bleu et strictement 10 fermés à clef,[4] tenait minutieusement, quand elle était jeune fille, le journal de sa vie. Elle avait commencé à quinze ans, et sa première phrase, datée du 17 mai 1875, était ainsi conçue:

Je mets aujourd'hui ma première robe longue. 15

Elle se maria le 17 août 1879, et alors elle s'arrêta; elle n'écrivit plus rien sur les petits volumes de maroquin bleu; mais elle avait conservé et caché mystérieusement dans le fond d'un tiroir à secret les cahiers qui racontaient sa vie entre le mois de mai 1875 et le mois d'août 1879, entre la 20 première robe longue et le mariage.

Lui aussi s'était marié le 17 août 1879, mais il n'avait pas interrompu ses écritures quotidiennes, si bien que, dans un des tiroirs de son bureau, se trouvaient treize petits agendas, où sa vie était notée jour par jour et fort exacte- 25

ment, malgré la sécheresse de la forme. De temps en temps
il s'amusait à prendre au hasard un de ces agendas. Il
l'ouvrait, lisait quinze ou vingt pages, revivant ainsi dans
le passé, mettant *autrefois* en présence d'*aujourd'hui*.

5   Or, le 19 juin 1881, le petit sous-lieutenant de 1869,
devenu capitaine et *porté pour chef d'escadrons*,[1] était seul,
vers dix heures du soir, dans son cabinet, devant son bureau,
et, la tête dans les mains, se demandait si c'était au printemps de 1878 ou au printemps de 1879 qu'il avait publié

10   dans le *Bulletin de la réunion des officiers* un article sur la
nouvelle organisation du train des équipages en Autriche-
Hongrie. Cette réflexion lui vint à l'esprit qu'il retrouve-
rait probablement dans ses carnets la date de la publication
de l'article.

15   Il ouvrit le tiroir des agendas, et le hasard, du premier
coup, lui fit mettre la main sur l'année 1879. Il se mit à
feuilleter le petit volume . . . Il tournait, tournait les
pages; mais voici que, subitement, il s'arrêta et lut avec
une certaine attention un passage qui le fit sourire. Il se

20   leva, s'éloigna de son bureau, alla s'asseoir dans un grand
fauteuil et, là, continua de lire. Il ne pensait plus du tout
à l'organisation du train des équipages de l'Autriche-
Hongrie. D'anciens souvenirs, évidemment, se réveillaient
dans son cœur et mettaient à la fois de légers sourires sur

25   ses lèvres et aussi un peu d'attendrissement dans ses yeux;
à trois ou quatre reprises, ce capitaine de cavalerie dut
arrêter du bout du doigt un petit, un tout petit commencement de larme.

Il était plongé dans sa lecture, quand une des portières

30   de son cabinet s'entr'ouvrit tout doucement, tout doucement: une délicieuse tête blonde se montra dans l'encadrement des vieilles tapisseries . . .

Que faisait-il donc là, dans ce grand fauteuil? Est-ce qu'il dormirait?[1]. Il l'avait impitoyablement renvoyée, une dèmi-heure auparavant, parce qu'il voulait travailler et que,[2] lorsqu'elle était là, elle le gênait, le troublait, lui mettait en tête des idées qui n'étaient pas tout à fait des idées de travail.

Alors, avec des précautions infinies, mince et souple dans les longs plis de son peignoir de mousseline blanche, la petite blonde se glissa dans la chambre, fit trois ou quatre pas sur la pointe des pieds, se pencha un peu de côté . . . Il ne dormait pas . . . Il lisait et fort attentivement, car il n'avait rien entendu et ne bougeait pas . . . Il était dans son droit.[3] Lire, c'est travailler.

Retenant sa respiration, elle continua sa route vers le fauteuil, lentement, bien lentement . . . et, tout en cheminant de la sorte, elle se posait une question. Elle était encore un peu enfant . . . Elle avait vingt et un ans, et elle était très amoureuse. Cela dit[4] pour son excuse, — en admettant la nécessité d'une excuse, — voici la question qu'elle se posait:

— Où vais-je l'embrasser? sur le front, sur la joue . . . ou bien un peu partout, à tort et à travers?

Elle approchait . . . Déjà, de l'extrémité des doigts, elle frôlait presque les cheveux du capitaine, et elle allait se décider résolument pour *un peu partout, à tort et à travers*, quand elle devint tout d'un coup horriblement pâle . . . Sur les deux pages ouvertes du petit agenda, elle venait de lire:[5]

16 juin:
Je l'aime!
17 juin:
Je l'aime!!

Un seul point d'exclamation après le premier: *Je l'aime!* deux après le second . . . Cela avait augmenté entre le 16 et le 17!

Elle jeta un petit cri, et toute tremblante:

5   — Qu'est-ce que c'est que ça?[1] dit-elle, qu'est-ce que c'est que ça?

Elle défaillait . . . Il se leva, la soutint dans ses bras; mais elle, fondant en larmes et laissant échapper un flot de paroles entrecoupées par des sanglots:

10   — 16 juin: Je l'aime! 17 juin: Je l'aime!! Et c'est aujourd'hui le 19 juin! Tu aimes une autre femme! Ah! c'est affreux! c'est affreux!

Lui, alors, essuyant ses larmes avec deux baisers:

— Regarde donc, petite folle, regarde donc.

15   Il ouvrit l'agenda à la première page, qui portait en gros chiffres imprimés: 1879.

— Ah! s'écria-t-elle joyeusement au milieu d'un petit restant de sanglots[2] . . . C'était moi! c'était moi!

Puis elle ajouta naïvement, imprudemment:

20   — Tu tenais donc un journal, toi aussi?

— Comment! moi aussi? . . . Alors il paraît que toi? . . .

Elle fut bien obligée d'avouer que s'il avait écrit des: *Je l'aime!* sur des petits agendas de maroquin noir, elle en 25 avait écrit, elle aussi, de son côté, sur des petits volumes de maroquin bleu . . . Et, comme elle disait à son mari:

— Montre l'agenda, montre, que[3] je voie s'il y a trois points d'exclamation le 18 et quatre le 19.

— Donnant, donnant,[4] répondit-il. Va chercher tes 30 petits cahiers et nous comparerons. Nous verrons qui de nous deux l'emporte en[5] points d'exclamation.

La tentation était trop forte. Elle alla chercher son

année 1879 et revint avec trois cahiers de taille assez respectable.

— Trois volumes! s'écria-t-il.

— Oui, les trois premiers trimestres; et toi, pour toute l'année, tu n'as qu'un méchant petit carnet de rien du tout![1]

— On dit bien des[2] choses en peu de mots . . . Tu vas voir . . . Viens te mettre là, à côté de moi . . . Il y a place pour deux dans le fauteuil.

— Oui, en m'asseyant sur tes genoux . . . Mais c'est impossible.

— Parce que?

— Parce qu'il y a peut-être dans mes cahiers des choses que tu ne peux pas voir.

Elle montrait ses volumes bleus, et lui, montrant son agenda:

— Là aussi peut-être . . . Tu as raison. Tenons-nous à distance, en face l'un de l'autre. Nous lirons seulement ce que nous voudrons lire . . .

— Et on pourra faire des coupures . . .

— C'est entendu,[3] dit-il, commence.

— Non, commence, toi, pour me donner du courage.

— Soit,[4] mais où commencer?

— Eh bien! répondit-elle, où *je commence.*

— Non, il faut commencer un peu avant toi, il faut commencer avec Jupiter.

— C'est juste . . . Cherche Jupiter.

— Attends . . . cela doit être dans la première quinzaine de mai . . . Oui, m'y voilà[5] . . . « *Jeudi* 15 *mai.* Aller[6] voir, chez Chéri, *Jupiter,* cheval bai brun, sept ans. Indications du catalogue: *Excellent cheval de selle, hautes actions,[7] saute bien, a été monté en dame.* Doit se vendre[8] le 21 mai. Très recommandé par d'Estilly.» Et deux

pages plus loin: «*Samedi* 17 *mai*. Vu Jupiter. Le cheval
paraît très bien. Irai jusqu'à 3,000 francs.» Et enfin,
quatre pages plus loin: «*Mercredi* 21 *mai* . . .»

— Le jour de notre rencontre en chemin de fer. Je me
5 rappelle la date.

— Oui, tu as raison . . . «*Mercredi* 21 *mai*. Au ministère de la guerre.[1] — Chez ma sœur. — Acheté Jupiter,
2,900 francs . . . — Au retour, dans le train, ravissante
jeune fille assise en face de moi.»

10 — Il y a ça? . . . Tu n'arranges pas un peu[2] par politesse?

— Je n'arrange rien.

— Montre.

— Tiens, regarde . . .

15 — Oui . . . je vois . . . *ravissante* . . . il y a: *ravis-*
sante . . .

— A toi[3] maintenant . . . Tu dois avoir quelque chose
le 21 mai . . .

— J'espère bien que[4] non! Est-ce que tu crois que
20 j'ai écrit: *Au retour, dans le train, ravissant jeune homme*
assis en face de moi?

— Non . . . pas ravissant jeune homme . . . mais enfin
regarde tout de même.

— C'est bien par acquit de conscience[5] . . . Voyons.
25 «*Mercredi* 21 *mai* . . . Au Louvre[6] . . . Chez ma tante
. . . Au Salon[7] . . .» Il n'y a rien, je te dis . . . Tiens,
si[8] . . . je vois quelque chose.

— J'en étais bien sûr . . . Tu avais fait attention à
moi . . .

30 — Voici ce qu'il y a . . . «Au retour, en chemin de fer,
assis en face de moi, un jeune homme. Il m'a regardée
tout le long, tout le long de la route . . . Dès que je levais

les yeux, il les baissait; mais dès que je les baissais, il les
levait; et, à partir de Chatou,[1] je n'ai plus du tout osé les
lever, les yeux, tant je me sentais sous son regard . . .
J'avais un roman anglais dans mon sac; je l'ai pris, je me
suis mise à lire, mais le soir j'ai été obligée de recommen-　5
cer tout ce que je croyais avoir lu en chemin de fer.»

— Ce n'est pas tout . . . Je crois qu'il y a autre chose . . .

— Oui . . . mais sans le moindre intérêt.

— Lis toujours; moi, j'ai tout lu.

— Oh! toi . . . toi . . . Je vois bien ce qui va arriver.　10
Toi, ce sera tout le temps de petites notes sèches et arides,
tandis que, moi, il y aura des détails, des développements.
Je vais t'expliquer pourquoi . . . Quand Mlle Guizard,
mon institutrice, m'a quittée, elle m'a dit: «Ma chère enfant, vous n'écrivez pas mal du tout, mais il faut continuer　15
à travailler; il faut faire des gammes pour le style comme
pour le piano. Prenez l'habitude d'écrire tous les soirs
trois ou quatre pages sur n'importe quoi . . . sur votre
journée, sur les visites que vous aurez reçues ou rendues,
etc.» Et alors, moi, je faisais ce que m'avait recommandé　20
Mlle Guizard.

— Bien, bien.

— Non, je tiens à[2] m'expliquer nettement là-dessus,
parce que, je le répète, je sais ce qui va arriver . . . Tout
à l'heure tu croiras voir des exaltations de sentiment et des　25
débordements de passion, là où il n'y aura que des exer-
cices de style et des essais de narration française. Je ne
veux pas que tu puisses t'y tromper.

— Je ne m'y tromperai pas . . . mais qu'est-ce qu'il
y a après: *Il m'a regardée tout le temps?*　　　　30

— Rien du tout sur toi . . . Tiens, écoute: «Est-ce
que ce serait[3] vrai ce que disait grand'maman avant-hier:

— C'est extraordinaire . . . cette petite Jeanne, tout d'un
coup, est devenue très jolie. » Et puis toute une conversation entre maman et grand'maman; maman reprochait à
grand'maman de me dire des choses pareilles, de me donner
5 de l'amour-propre, etc., etc. Aucun intérêt, je te dis . . .
Continue.

— Je n'ai rien le 22.

— Moi non plus.

— « 23 *mai*. Jupiter arrivé. Essayé le cheval sur la
10 terrasse[1] et dans la forêt. Je le crois excellent. »

— Et sur moi?

— Rien.

— Ah! c'est un peu humiliant, car j'ai, moi, quelque
chose sur toi, le 23. « Le jeune homme qui m'a regardée
15 avant-hier dans le train, c'était un militaire. Il a passé
tout à l'heure, à cheval, en uniforme. Il avait trois galons
d'argent sur les manches. Je dis qu'il a passé; il a fait
plus que passer . . . C'est absurde ce que je vais écrire,
mais enfin, puisque c'est pour moi toute seule que j'écris
20 . . . Est-ce qu'il m'aurait vraiment remarquée, hier, en
chemin de fer? Est-ce qu'il se serait informé? Est-ce
qu'il saurait que je demeure ici? Est-ce qu'il aurait voulu
briller devant moi? Il est resté au moins un quart d'heure,
là, sur la terrasse, entre le pavillon Henri IV[2] et la grille,
25 faisant faire des pas de côté à son cheval, et des pirouettes,
et des changements de pied, et des voltes sur place,[3] etc.,
etc., etc. Espérer me séduire par de tels moyens, ce serait
d'un homme bien vulgaire. »

— Quelle injustice! Tu vois, là, sur mon carnet: *Essayé*
30 *Jupiter*. J'essayais Jupiter et je découvrais qu'il avait
reçu une très brillante éducation . . . Mais continue.

— Je continue. « Le soir, après dîner, je dis à Georges,

qui, malgré ses douze ans, passe encore sa vie à jouer aux soldats de plomb et qui est très ferré sur les choses militaires: — Georges, qu'est-ce que c'est qu'un officier qui a trois galons d'argent sur les manches? — C'est un capitaine. — Est-ce beau d'être capitaine? — Ça dépend. C'est beau à vingt-cinq ans, c'est laid à cinquante . . . 5

«Vingt-cinq ans, il a peut-être un peu plus, mais pas beaucoup. Grand'maman, qui a l'oreille fine, avait entendu ma conversation avec Georges, et elle se met à dire: — Vous ne savez pas ce qui se passe? Jeanne demande 10 à Georges des renseignements sur les militaires . . .

«Je deviens rouge comme une pivoine. Et alors toute une longue discussion. Grand'maman déclare qu'elle a un penchant pour les militaires, et maman s'écrie qu'elle ne pourrait jamais se résigner à me donner à *un monsieur qui* 15 *me trimbalerait de garnison en garnison.* Je me demande pourquoi j'écris toutes ces folies sur ce cahier. C'est bien pour obéir à Mlle Guizard.» Là, tu vois, c'est écrit . . . A toi; j'ai fini.

— Le 24, deux lignes . . . «Rencontré à cheval, dans 20 la forêt, la jeune fille de mercredi dernier. Bien jolie décidément et pas mal à cheval.»

— Voilà tout . . . C'est d'une concision!¹ Cela aurait besoin d'un petit commentaire.

— Le voici, mon amour, le petit commentaire. Tu as 25 raison . . . Elles sont d'une affreuse sécheresse, mes notes . . . mais, vois-tu, si je n'avais pas peur d'avoir l'air de vouloir faire un madrigal . . .

— N'aie donc pas peur . . . il n'y a personne . . .

— Je te dirais que tout ce qui n'est pas écrit sur le petit 30 cahier est écrit là . . . dans mon cœur. Cette matinée de mai, cette rencontre dans la forêt . . . aujourd'hui, après

deux années écoulées, je me rappelle tout cela, et dans les
moindres détails.   Nous avions manœuvré de cinq à sept
heures, sur le terrain des Loges,[1] dans une horrible poussière.   Je ramène mon escadron au quartier . . . je
5 change de cheval et je repars sur Jupiter.

— Cher Jupiter!

— Un quart d'heure après, j'étais au galop dans une
longue allée montante, tout près du Val.[2]   Je vois venir
une petite cavalcade, toi sur Jenny, ta jument noire,
10 Georges sur son poney rouan, et le vieux Louis, par derrière, sur un grand cheval gris . . . Tu vois . . . je me
souviens même de la robe des chevaux.   Tout d'un coup,
à cinquante mètres, j'ai un éblouissement . . . Je te
reconnais . . . Durement, brusquement, je mets au pas
15 ce pauvre Jupiter.   La petite cavalcade passe à côté de
moi . . . Je te vois encore avec ton amazone grise, ton
chapeau noir et les boucles blondes qui frisottaient sous
ton voile . . . Et pendant que tu passais, je me disais:
«Non, vraiment, il n'y a rien au monde de plus charmant
20 que cette jeune fille!» — Et toi, que te disais-tu?

— Ce que je me disais . . . je ne me rappelle plus . . .
mais voici ce que j'écrivais.

Et d'une voix un peu tremblante, car elle avait été
très émue par le *petit commentaire*, Jeanne lut ce qui
25 suit:

— « Je l'ai rencontré ce matin près du Val.   Il arrivait
au galop, et tout d'un coup, en me reconnaissant, il a arrêté
son cheval . . . Oui, en me reconnaissant . . . J'ai bien vu
le mouvement.   Je sais ce que c'est qu'arrêter un cheval au
30 galop . . . On le prévient . . . Eh bien! il a arrêté son
cheval sans préparation, brutalement, d'un seul coup,
presque sur place.   Il a passé tout près de nous.   Je n'ai

pas osé le regarder, mais j'ai bien senti qu'il me regardait.
Il n'était pas à dix pas de nous que[1] ce petit nigaud de
Georges me dit: — Oh! Jeanne, as-tu vu? Comme il était
drôle avec toute cette poussière! Il avait l'air d'un pierrot!
C'est un capitaine du 21ᵉ. Il y avait le numéro 21 sur le
collet de son uniforme . . .

« J'étais furieuse contre Georges . . . Pourvu qu'il
n'ait pas entendu!»

— J'avais entendu . . . Je me rappelle maintenant.

— Allons, lis, c'est à toi.

— «*Mercredi 25 mai.* Revu mon inconnue; elle habite
une des maisons de la terrasse. Je passais en voiture;
elle était à la fenêtre; elle m'a aperçu, et il m'a semblé que
c'était parce qu'elle m'apercevait qu'elle quittait la fenêtre
brusquement, très brusquement . . . Mon Dieu![2] comme
elle est gentille!»

— Tiens! c'est un peu moins sec que tout à l'heure. Il
y a progrès . . . Tu mets des verbes . . . Tu commences
à écrire de vraies phrases.

— C'est peut-être parce que je commence à être amoureux . . . A toi . . .

— «25 *mai.* J'étais à la fenêtre; je vois venir une petite
charrette anglaise très jolie, tout étincelante au soleil,
traînée par un amour de poney noir comme de l'encre; sur
le siège un petit groom d'une tenue irréprochable . . . Et
à côté du petit groom, lui, le capitaine. J'aurais dû rester
bien tranquillement à la fenêtre. Je n'ai pas pu. Je me
suis dit: — Je vais le regarder, il va s'apercevoir que je le
regarde. — La peur m'a prise; je me suis sauvée au fond
du salon. Grand'maman m'a dit: — Qu'est-ce que tu as[3]
donc, Jeanne? — Rien du tout, grand'maman.

«Georges, qui était avec moi à la fenêtre, s'écrie: —

Jeanne, tu ne sais pas, ce capitaine qui vient de passer dans
cette jolie charrette, je crois que c'est le pierrot d'hier
matin. »

— Le pierrot, c'était moi.

5   — Toi-même . . . Le 26 mai, je n'ai rien, absolument
rien. Oh! tu peux lire. Il n'est pas question de toi.
« Essayé ma robe rose. Elle allait bien,[1] mais il n'y avait
pas assez de petits plissés. J'en fais ajouter, etc . . . etc. »
Je ne pensais qu'à ma robe rose . . . Tu vois que je n'étais
10 pas à ce point préoccupée . . .

— Eh bien! le 26 mai, pour moi, c'est un grand jour,
c'est le jour de Picot. Je n'ai là que deux lignes, mais elles
sont éloquentes: « Donné vingt francs à Picot. C'est un
profond diplomate. »

15   — Voici la place, ou jamais, d'un nouveau commentaire.

— Très volontiers . . . Le matin, en déjeunant à la
pension, j'avais dit à Dubrisay, qui est toujours à rôder[2] à
cheval dans la forêt: « Est-ce que tu ne connais pas une
jeune fille qui monte avec un petit bambin d'une douzaine
20 d'années et un vieux domestique? — Attends donc . . .
elle monte une jument noire, la jeune fille. — Et le vieux
domestique un cheval gris, dit un autre de ces messieurs. —
Et le bambin un poney rouan, ajoute un troisième. » Là-
dessus grande discussion sur le mérite des chevaux. Le
25 poney rouan paraissait excellent, et la jument noire un peu
fatiguée.

— C'était vrai . . . heureusement!

— Oh! oui, heureusement! . . . Moi de répliquer:[3] « Je
ne vous parle ni du cheval gris ni de la jument noire, je
30 vous parle de la jeune fille. » Et tous les trois me répon-
dirent qu'ils ne regardaient jamais que les chevaux. J'étais
bien avancé![4] Je rentre chez moi. Vers trois heures, je

vois Picot, mon ordonnance, qui flânait dans la cour. Je l'appelle par la fenêtre. C'est un Parisien, Picot, et très *débrouillard* . . . Je lui dis: «Picot, tâche donc de savoir adroitement ce que c'est que des personnes qui demeurent dans telle maison, sur la terrasse . . . L'entrée est rue des Arcades . . . — Bien, mon capitaine. — Mais, tu comprends, adroitement. — Oui, mon capitaine. — Si tu découvres quelque chose, tu me le diras demain matin au quartier.»

— Tu n'étais pas bien impatient; tu aurais bien pu lui dire de revenir tout de suite.

— C'est bien ce qu'il a fait. Une heure après, il arrivait triomphant . . . Et alors Picot a prononcé un discours si extraordinaire que je me suis amusé à le transcrire, aussi exactement que possible, sur le petit agenda.

— Je me suis amusé! . . . Le lâche faux-fuyant! Dites donc la vérité . . . Avouez donc qu'il ne vous était pas désagréable d'écrire des choses où il était question de moi, et alors j'avouerai peut-être, moi, qu'il ne m'était pas désagréable d'écrire des choses où il était question de . . . toi.

— Eh bien! je l'avoue.

— Et moi aussi . . . Lis maintenant.

— Je lis. «Picot arrive et me dit: — Mon capitaine, je sais tout. Seulement, je vous en prie, dès que j'aurai commencé, ne m'interrompez pas par des questions, parce que ça bout là-dedans,[1] ça bout . . . Je me suis rabâché ma leçon tout le long de la route, pour ne pas oublier. La maison a été louée, il y a trois semaines, par des Parisiens. Le patron est un M. Lablinière, un ingénieur, un industriel . . . il construit des machines à vapeur, des télégraphes, etc. Il est là avec sa belle-mère, sa femme et ses

deux enfants: une jeune fille (dix-neuf ans) et un petit
garçon (douze ans) . . . Attendez, je sais le nom des
enfants . . . Jeanne et Georges . . . Ils sont riches, très
riches . . . Cinq chevaux à l'écurie, trois voitures sous la
5 remise, quatre domestiques mâles, une cuisinière, trois
femmes de chambre: Julie, Adélaï[1] . . . Mais ça doit
vous être égal, mon capitaine, le nom[2] des femmes de
chambre . . . Leur adresse à Paris, 28, boulevard Haussmann.[3] Comment j'ai appris tout cela? En causant
10 avec le concierge . . . Non, non, ne m'interrompez pas
. . . Ça me troublerait . . . Je vois ce qui vous inquiète,
mon capitaine. Vous croyez que j'ai fait une bêtise, que
j'ai dit que je venais de votre part? Pas du tout. Vous
vous demandez: — Comment cet imbécile de Picot s'y est-il
15 pris pour engager la conversation?[4] . . . Ah! ça n'a pas
été bien difficile, mon capitaine. Je n'ai pas eu grand
mérite, allez![5] . . . Il était devant sa porte, le concierge. Je
suis arrivé tout doucement sur lui, avec l'air d'un militaire
qui flâne sans but, et quand j'ai été juste devant lui, j'ai fait
20 comme ça: — Ouf, il fait chaud! . . . Il a répondu: —
Oh! oui, il fait chaud! . . . J'ai continué: — Moins chaud
qu'hier pourtant . . . Il a répondu: — Oui, parce qu'il y
a un peu d'air . . .

«Ça y était,[6] la glace était rompue; nous nous sommes
25 mis à causer; au moment où je commençais à manœuvrer
pour arriver à la grosse question, je vois descendre du
perron, au fond de la cour, une jeune demoiselle diablement gentille, mon capitaine, sauf permission,[7] avec un
gros morceau de pain à la main. Je dis au concierge: —
30 C'est votre bourgeoise?[8] . . . Il me répond: — Non, c'est
la fille du locataire, un monsieur de Paris . . .

«Alors il se met à défiler le chapelet[9] de ce que je vous ai

dit tout à l'heure. Il n'y avait aucun mérite, je vous le
répète, mon capitaine. Il allait tout seul, ce concierge.
Il y a des concierges qui sont un peu durs à la détente,[1] mais
celui-là, pas du tout, il ne demandait qu'à bavarder. Ça
roulait. Ça roulait[2] . . . Et puis il avait été militaire, 5
dans la cavalerie, au 6e dragons, et, quand on a été militaire,
on aime toujours à causer avec les militaires. Enfin il
parlait encore, le concierge, quand je vois la jeune demoiselle
retraverser la cour sans son morceau de pain. Le concierge me dit: — La revoilà, la fille du monsieur de Paris; 10
tous les jours elle va donner du pain à son cheval dans
l'écurie . . .

«Cependant la jeune demoiselle remontait le perron,
mais très lentement, en me regardant. Elle paraissait
étonnée de me voir là; elle avait l'air de se dire: — Mais 15
qu'est-ce qu'il fait donc là, ce chasseur ? . . .

«Elle rentre dans la maison . . . Pendant ce temps, le
concierge m'en faisait un éloge, de cette demoiselle . . .
oh! mais un éloge! qu'elle était si douce, si bonne, et pas
seulement pour les chevaux, aussi pour les personnes. 20
Ainsi, tenez, quand ils sont arrivés, il y a trois semaines, la
petite fille du concierge était malade . . . Eh bien! croiriez-
vous que cette demoiselle . . . Mais pardon, mon capitaine . . . ça ne vous intéresse peut-être pas, tous ces
détails . . . Si, ça vous intéresse? C'est bien, alors je 25
continue . . . Je vous disais donc que cette petite fille du
concierge, elle venait la voir tous les jours, elle lui envoyait
des bouillons, des choses bonnes à manger; elle lui apportait
elle-même des joujoux, des bonbons; elle restait quelquefois
des quarts d'heure dans la loge, à lui raconter des histoires, 30
à cette enfant! . . .

«Le concierge était en train de me raconter ça, quand

arrive une femme de chambre . . . une assez belle personne, mon capitaine, sauf permission.[1] Elle arrive donc
et dit au concierge: — Est-ce qu'il n'y a pas une lettre pour
Mademoiselle? — Oh! non, les lettres pour Mademoiselle,
5 je les monte tout de suite, vous savez bien . . .

«Moi, je me disais: — Tiens, on pourrait peut-être en
tirer quelque chose, de la femme de chambre . . . Alors je
recommence: — Il fait chaud, mademoiselle. — Oh! oui
. . . Je continue: — Un peu moins chaud qu'hier . . .

10 «Ça réussit tout aussi bien qu'avec le concierge, et voilà
la conversation qui recommence. La femme de chambre
me demande si je ne connais pas un certain Camus,[2]
brigadier au 10e hussards . . . Nous bavardions, lorsque
tout d'un coup elle s'écrie: — Oh! je me sauve . . . Ma-
15 demoiselle qui m'attend! — Et elle se fâcherait, votre
maîtresse? . . . Elle vous gronderait? — Ma maîtresse
se fâcher, me gronder, jamais de la vie! Il n'y a rien
au monde de meilleur que Mademoiselle . . .»

— C'est tout?

20 — Oui, c'est tout.

— Ainsi vous me faisiez espionner[3] . . .

— Positivement; mais ton récit du 26 à toi?

— Le voici. «*Mardi 27 mai.* Hier, dans l'après-midi,
j'allais porter du pain à Nelly; en descendant le perron, je
25 vois un militaire qui causait avec le concierge. Je reste
cinq minutes à l'écurie; en sortant, je regarde: le militaire
est encore là . . . Je remonte dans ma chambre. J'y
trouve Julie. Oh! quand la curiosité vous prend, c'est
horrible! Je dis à Julie: — J'attends une lettre de Paris,
30 allez donc voir si elle n'est pas chez le concierge . . .

«Elle part . . . , j'attends . . . Julie ne revient pas. Je
vais dans mon cabinet de toilette qui donne sur la cour, je

vois Julie: elle cause avec ce militaire! Enfin elle revient.
— Il n'y avait pas de lettre, mademoiselle. — Vous êtes
restée bien longtemps. — Mais non, mademoiselle. — Si
fait,[1] je vous ai vue; vous causiez avec un hussard. — Un
hussard! Oh! non, mademoiselle. — Puisque je vous ai vue 5
. . . — Je ne causais pas avec un hussard, mademoiselle; c'était un chasseur; il y a une différence dans l'uniforme.
Les hussards ont des tresses blanches et les chasseurs
ont des tresses noires; les hussards ont le collet pareil
au dolman[2] et les chasseurs ont le collet rouge. — Com- 10
ment savez-vous tout cela, Julie? — J'ai un cousin dans
les hussards, mademoiselle; ici, à Saint-Germain, il n'y a
pas de hussards, il n'y a que des chasseurs: deux régiments,
le 21e et le 22e; ils font brigade ensemble . . . Le soldat
qui était là, c'était un chasseur du 21e . . . 15

«Du vingt et unième! Son régiment! Ma conversation
militaire avec Julie devait avoir[3] des conséquences déplo-
rables . . . Vers six heures, nous allons avec maman
faire un tour à pied sur la terrasse. Nous rencontrons
deux officiers de chasseurs. Maman me dit: — Ils ont de 20
jolis chevaux, ces hussards.

«Je lui réponds étourdiment: — Ce ne sont pas des hussards, maman, ce sont des chasseurs; les hussards ont des
tresses blanches et les chasseurs ont des tresses noires; les
hussards ont le collet pareil au dolman et les chasseurs . . . 25

«Je n'achève pas . . . Je regarde maman. Elle était
stupéfaite! — Comment sais-tu tout cela? — Mon Dieu!
maman, c'est Julie . . . Elle a un cousin dans les hussards
. . . Alors, un jour, pendant qu'elle me coiffait . . . —
Singulier sujet de conversation! dit maman[1]. . . 30

«Nous en restons là[4] . . . Mais tout n'était pas fini.
Papa revient de Paris, on se met à table, et papa nous

raconte qu'il a rencontré en chemin de fer un officier . . .
Si c'était lui! . . . Un colonel . . . ce n'est pas lui! . . .
Papa a passé un mois, l'année dernière, avec ce colonel à
Cauterets.[1] Ils faisaient le whist ensemble. Ils ont renoué
5 connaissance tout à l'heure. Papa l'a invité à dîner la
semaine prochaine, le mercredi 4 juin.

« Je dis à papa: — Est-ce que le régiment de ce colonel
est à Saint-Germain? — Oui, son régiment est ici. — Est-ce
le 21e ou le 22e? — Il y a donc deux régiments ici? — Oui,
10 papa, le 21e et le 22e; ils font brigade . . .

« Voilà papa encore plus suffoqué que maman. — Mais
qui est-ce qui t'a appris cela? — Mon Dieu! c'est Julie,
elle a un cousin dans les hussards. — Je n'y comprends
rien, dit maman; Jeanne depuis quelque temps ne parle
15 plus que de chasseurs et de hussards. — Eh! eh! dit
grand'maman, elle a peut-être distingué quelque bel
officier . . .

« Je deviens écarlate; je réponds avec impatience, presque
avec colère. Je commence à lui en vouloir sérieusement,[2]
20 à ce monsieur que je ne connais pas, que je ne connaîtrai
jamais. Oui, je lui en veux d'avoir fait ainsi irruption
dans ma vie. Pourquoi m'a-t-il regardée en chemin de
fer? Pourquoi est-il venu faire de la haute école[3] sous mes
fenêtres? Pourquoi s'est-il mis au pas, l'autre jour, en
25 m'apercevant? Si je le rencontre, moi, dès que je le recon-
naîtrai, je prendrai le galop, le grand galop . . . Hélas! le
grand galop, ce n'est plus trop l'affaire de ma pauvre Nelly;
elle vieillit. Aussi papa va-t-il,[4] pour ma fête de naissance,
me donner un autre cheval . . .

30 « Je voudrais bien savoir si c'est *son* colonel qui doit
dîner ici le mercredi 4 juin. »

C'était la dernière phrase du bulletin du 27 mai.

Elle passa ensuite en revue une dizaine de pages de son cahier.

— Du 28 mai au 3 juin, rien sur toi, absolument rien.

— Et là, répondit-il, rien non plus sur toi. C'est que[1] nous avons eu la douleur de ne pas nous voir pendant ces huit jours.[2] Je n'étais pas à Saint-Germain . . . Nous étions partis, une vingtaine d'officiers des deux régiments, avec le général et les colonels, pour des manœuvres avec cadres,[3] entre Vernon[4] et Rouen. J'avais emmené Jupiter, et mes petites notes de cette semaine de voyage sont pleines de choses fort aimables pour mon nouveau cheval: *Jupiter irréprochable . . . vigoureux, ardent et sage . . . Hier le colonel a monté Jupiter et l'a trouvé parfait*, etc., etc. Le 3 juin, à huit heures du soir, nous rentrions à Saint-Germain, et le 4 juin . . . Je ne t'avais pas oubliée . . . tiens, regarde. Là . . . *Vais-je la revoir, la petite blonde de la terrasse?*

— Et voici mon 4 juin, à moi: « Je sais son nom. Ce soir, nous avons eu le colonel à dîner. Il arrive à sept heures. Mes regards vont droit au collet de son uniforme . . . Je vois le chiffre 21 . . . C'était bien *son* colonel. Pendant le dîner, conversation parfaitement banale . . . mais, après le dîner, pendant que je servais le café . . . — Colonel, dit papa, vous pourriez peut-être me rendre un service: je voudrais donner un cheval à cette jeune personne; si vous connaissiez une bonne bête, très sage . . .

« Moi de protester:[5] — Pas trop sage, colonel; je monte très bien à cheval . . . (Et c'est vrai, je monte très bien) . . . — Je chercherai, répond le colonel, je m'informerai . . . Ah! un des officiers de mon régiment a un cheval qui vous conviendrait admirablement, mademoiselle . . . je

l'ai monté ces jours derniers . . . Il est parfait. — S'il
voulait me le céder, dit papa, avec un bon bénéfice . . . —
Oh! cet officier-là sera tout à fait indifférent au bon bénéfice; il est riche, très riche . . . C'est un capitaine, M. de
Léonelle. — Un capitaine et riche? s'écrie Georges; c'est
peut-être l'officier que nous avons vu l'autre jour dans une
petite charrette anglaise avec un poney noir. — C'est lui-
même. — Oh! nous le connaissons bien, ma sœur et moi;
nous l'avons rencontré plusieurs fois . . .

« Pour le coup je sens mes joues flamber, littéralement
flamber . . . Le colonel me regarde . . . Je dois être
cramoisie . . . Il va s'en apercevoir . . . Il nous quitte à
dix heures et, en partant, me dit: — Je parlerai demain
matin à M. de Léonelle, mais j'ai grand'peur de ne pas
réussir . . . Il adore son cheval . . .

« Les choses en sont là!¹ Est-ce que je vais lui acheter *son*
cheval? Papa m'a ouvert un crédit de trois mille francs. »

— Nous arrivons au 5 juin, la journée décisive . . . La
séance chez le photographe de la fête.²

— Et ta première visite. Commence.

La distance entre eux avait diminué. Elle était venue
s'asseoir, non pas sur ses genoux, mais sur un petit pouf à
ses pieds, et, pendant qu'il lisait, elle appuyait câlinement
sa tête sur ses genoux, si bien que, profitant des avantages
du terrain — il dominait la situation, — le capitaine se mit
à embrasser Jeanne avec une certaine vivacité. Elle se
dégagea . . . pas tout de suite . . .

— Allons, finis . . . lui dit-elle; finis et commence.

Il commença:

« *Jeudi 5 juin.* Ce matin, après la manœuvre, nous
rentrions au pas, le long de l'avenue des Loges.³ L'adjudant vient me chercher de la part du colonel . . . Je le

rejoins en tête de la colonne. — Capitaine, me dit-il, vous
n'avez pas envie par hasard de vendre votre nouveau
cheval ? — Certainement non, mon colonel . . . — Même
avec un joli bénéfice ? — Même avec un joli bénéfice. —
C'était pour une bien jolie personne et qui vous connaît. 5
— Qui me connaît, mon colonel ? — Oui, elle vous a rencontré plusieurs fois, elle vous a vu sur la terrasse . . .
enfin elle avait l'air de vous connaître . . . et j'ai cru
même remarquer que, lorsque j'ai prononcé votre nom
hier, elle a rougi, rougi d'une manière très sensible. — Et 10
qui est-ce donc, mon colonel ? — C'est la fille d'un ingénieur, un M. Lablinière. — Une blonde, mon colonel ? —
Oui, une blonde. — Qui habite une maison sur la terrasse ?
— C'est cela même; vous voyez bien que vous la connaissez.
— De vue seulement, mon colonel. — Eh bien! voyez si 15
vous voulez céder votre cheval à cette jolie blonde . . . Au
revoir, capitaine . . .

«Vendre Jupiter ? à tout autre, jamais![1] . . . A elle! . . .
j'hésite . . . Elle est si jolie! . . . En entendant mon nom,
elle aurait rougi ? Pourquoi ? 20

«Ma sœur Louise arrive à onze heures . . . Elle vient
me demander à déjeuner avec ses enfants. C'est la fête de
Saint-Germain, et les enfants, après le déjeuner, demandent
à aller voir les boutiques. — Mon oncle, s'il y a un photographe, tu nous feras faire nos portraits ?[2] — C'est con- 25
venu . . .

«Il y a justement un photographe; nous entrons dans
sa baraque . . . Elle était là! . . . avec son petit frère, sa
mère et un gros caniche noir. Le petit frère était à genoux
par terre, près du caniche noir, et tâchait de le décider à 30
rester bien tranquille: — Voyons, monsieur Bob . . . ne
bouge pas . . . c'est pour faire ton portrait . . .

«Mais monsieur Bob ne tenait aucun compte des prières
du petit garçon, lequel, perdant courage: — Parle-lui,
Jeanne, il n'y a que toi qui aies de l'autorité sur lui . . . et
parle-lui en anglais; il comprend l'anglais bien mieux que
5 le français. — Mais non, Georges, tu es ridicule. — Jeanne,
ma petite Jeanne . . .

«Elle se décide et, regardant monsieur Bob bien sévèrement: *Now, Bob, Master Bob, be obedient! look at me! so* . . .
Now be still! . . . *Hush!* . . . *Still!* . . .

10 «Elle a décidément de l'autorité sur le caniche noir. Il
se tient immobile . . . Sa voix est charmante. Et son
visage! . . . Je l'ai contemplée là, tout à mon aise . . .
en pleine lumière . . . c'est une merveille de grâce et de
jeunesse.»

15 — Attends un peu . . . Montre.

— Pourquoi ?

— Je crois toujours à de petits arrangements.[1]

— Tu as tort . . . Regarde.

— Oui . . . je vois . . . *Merveille de grâce et de jeunesse*
20 . . . C'est bien . . . Continue . . .

— Je continue!

«Elle aura Jupiter! En partant, elle a dit à ma sœur (il
m'a semblé qu'il y avait un peu d'émotion dans sa voix):
— Je vous demande pardon, madame, de vous avoir fait
25 attendre . . .

«J'aurais dû trouver quelque chose à dire . . . Mais
rien, je n'ai rien trouvé. J'ai été absurde . . . Je me suis
incliné . . . Elle m'a fait un petit salut . . . Elle est sortie
de la baraque du photographe. — Quelle ravissante jeune
30 fille! me dit ma sœur. — Ah! je crois bien![2] . . .

«Et me voilà parti![3] Je raconte à ma sœur comment elle
se nomme, où elle demeure . . . Le père est un ingénieur

du plus haut mérite, etc. J'avais besoin de parler d'elle
. . . Stupéfaction de ma sœur. — Mais tu es amoureux!
— Amoureux! non. — Si fait, tu es amoureux . . . Eh
bien, il faudra s'informer . . . Cela me ferait une très
jolie belle-sœur . . .   5

«Je reconduis Louise au chemin de fer . . . Non, je ne
suis pas amoureux . . . Mais elle aura Jupiter! Seulement une inquiétude me prend . . . Oui, le catalogue de
Chéri disait bien: *a été monté en dame* . . . Mais il faut
se défier des indications de catalogue . . . Pauvre chère 10
petite! Si un accident lui arrivait! J'avais chez moi une
selle de femme. Ma sœur venait quelquefois monter à
cheval à Saint-Germain. Je dis à Picot: — Mets la selle
de femme sur Jupiter, et conduis-le au manège. Prends une
couverture . . .   15

«Un quart d'heure après, je faisais monter Picot *en dame*
sur Jupiter; je lui avais enveloppé les jambes dans la couverture pour lui tenir lieu d'amazone. Jupiter prend le
galop. — Ah! mon capitaine, il connaît son affaire, me
crie Picot, il a été monté en dame . . .   20

«Je veux faire l'essai moi-même. Je m'installe à mon
tour sur Jupiter *en dame*, avec les genoux entortillés dans la
couverture. Je trotte Jupiter et je le galope, et pendant
que je le trottais, et pendant que je le galopais, je me disais:
— Quand je pense que si je suis là dans cette position et 25
dans cet accoutrement ridicules, c'est parce que j'ai rencontré, il y a quinze jours,[1] en chemin de fer, une blondinette
qui lisait un roman anglais! . . .

«Allons, décidément, Jupiter se monte[2] en dame . . .
Elle aura Jupiter! . . . Oui; mais comment le lui donner? 30
Il serait correct de mettre le cheval à la disposition du
colonel. Non, je vais aller moi-même chez elle tout de

suite . . . Je pars . . . Picot me suivait, tenant Jupiter
en main . . . Nous arrivons; nous entrons dans la cour.
Je regarde Picot; il avait un air malin; il se disait: — Eh!
eh! c'est donc pour cela que mon capitaine m'a envoyé aux
5 renseignements . . .

« Je sonne. — Monsieur Lablinière ? — Monsieur est à
Paris. — Madame Lablinière ? — Madame est ici. — Faites
passer ma carte.   Dites que je viens pour un cheval . . .

« Le domestique va m'annoncer.   Si elle allait ne pas y
10 être! . . . Elle était là! . . . avec sa mère, sa grand'mère,
son petit frère et son caniche noir . . . Alors je ne sais plus
ce qui s'est passé.   J'ai dû être[1] absurde.   Je me souviens
vaguement qu'il a été question de pelham,[2] de martingale à
anneaux.   Je crois lui avoir dit que le cheval s'appelait
15 Jupiter . . . et je suis parti en la priant de garder Jupiter,
de l'essayer pendant huit jours, pendant quinze jours . . .
Il a bien fallu parler aussi du prix.   Les mots, à ce moment,
m'écorchaient les lèvres[3] . . . Je ne pouvais pourtant pas
lui donner Jupiter.   Il faudra que je prenne *son* argent.
20 Nous sommes descendus dans la cour, et là, près de Jupiter,
nouvelle conversation aussi ridicule, aussi folle que la conversation dans le salon.   Je me mourais d'envie de dire à
cette charmante créature: — Vous êtes un ange et je vous
adore!   Et je lui disais: — Il faudra donc donner dix litres
25 d'avoine au cheval, etc., etc.   J'ai débité d'étonnantes
inepties.   Je lui ai dit, je m'en souviens maintenant, que
le cheval avait besoin d'un petit poids et qu'il serait plus
heureux avec elle qu'avec moi . . . J'ai dû faire sur elle,
avec des phrases pareilles, une impression désastreuse.
30 Enfin, je suis parti avec Picot; j'avais si bien la tête à l'envers[4] qu'en rentrant chez moi, tout le long du chemin, j'ai
causé avec Picot . . . pour parler d'elle . . . Et cela me

remuait tout doucement le cœur, quand Picot me disait:
— La jolie blonde . . . elle a eu une façon de me regarder
. . . Je crois bien qu'elle m'a reconnu. Elle m'avait bien
dévisagé, le jour où je suis allé faire causer le concierge.
C'est elle, la jolie blonde, mon capitaine, qui a été si bonne
pour la pauvre petite fille malade.»

— Brave[1] Picot, c'est un peu lui qui a fait notre
mariage . . .

— Ma foi, oui, il a été le premier à me donner de très
bons renseignements.

— Et moi qui n'avais pas de renseignements sur toi et
qui commençais à t'aimer . . . sans renseignements! Tiens
. . . tu vas en juger.

«*Jeudi 5 juin.*   Les événements se précipitent; comment
cela finira-t-il, mon Dieu? J'ai son cheval. Il s'appelle
Jupiter. Il est là, dans notre écurie, entre Nelly et le poney
de Georges. Tâchons de mettre un peu d'ordre dans ma
pauvre tête. Que de choses dans cette journée! Georges,
après le déjeuner, me dit: — Petite sœur, tu sais qu'aujourd'hui nous devons aller chez le photographe de la fête
pour faire faire le portrait de Bob. — Tu peux bien y aller
sans moi avec maman. — Non, si tu n'es pas là, Bob ne
restera pas tranquille . . .

«Je me résigne, nous partons, nous arrivons chez le
photographe. Au moment où Bob commençait à poser, je
vois entrer dans la baraque . . . Qui ça? . . . Lui! . . .
et pas seul . . . avec une femme, toute jeune et toute
charmante. Qu'est-ce que c'est que cette femme? Mais
voici deux enfants. Ils l'appellent *mon oncle* . . . C'est sa
sœur! . . . Georges ne pouvait[2] faire entendre raison à
Bob; alors j'ai été obligée de jouer là, sous ses yeux, une
scène ridicule. J'ai dû[3] lui faire l'effet d'une petite idiote.

J'ai adressé à Bob des discours en anglais. J'avais l'air
de montrer un chien savant. Je me suis sauvée toute
rouge de honte et de confusion. Je rentre à la maison,
désolée, furieuse. Je m'enferme dans ma chambre. Ce-
5 pendant, à cinq heures, il faut bien descendre pour le thé.

« Je descends. J'arrivais à peine, Pierre apporte une
carte. — Qu'est-ce que c'est ? dit maman. — Madame, c'est
un officier, un capitaine de chasseurs. — Un capitaine de
chasseurs ! . . . Je ne connais pas de capitaine de chasseurs.
10 Je viens à la campagne pour être tranquille et la maison
est envahie par des soldats ! Un colonel hier ! . . . un
capitaine aujourd'hui ! . . . Nous aurons demain tout le
régiment ! Qu'est-ce qu'il veut, ce capitaine ? — Madame,
il m'a dit qu'il venait pour un cheval. — Regarde donc
15 cette carte, Jeanne . . . mais qu'est-ce que tu as ? comme
tu es rouge ! . . . Tu as le sang à la tête.[1] — Non, maman.
— Eh bien, regarde et lis . . .

« Je prends la carte et je lis: *Comte Roger de Léonelle,
capitaine au 21e chasseurs.* Comte ! il est comte ! Il ne man-
20 quait plus que cela ![2] — Léonelle ! s'écrie Georges, mais
c'est l'officier du cheval pour Jeanne. — C'est vrai, dit
maman, le colonel a dit ce nom-là hier . . . Et ton père
qui n'est pas là . . . Enfin, il faut le recevoir, ce monsieur
. . . Faites entrer, Pierre . . . Seulement, Jeanne, c'est
25 toi qui porteras la parole, parce que, tu sais, je n'entends
rien, moi, aux choses de cheval[3] . . .

« La porte s'ouvre . . . C'était lui ! . . . Il entre, il
salue . . . et maman, après une phrase suffisamment
aimable, mais qui aurait pu l'être davantage, maman me
30 dit: — Jeanne, c'est pour ton cheval, vois donc avec monsieur . . .

« Nous voilà tous les deux en présence. Tout le poids

de la conversation retombait sur moi. Il a été charmant,
lui, de grâce, de tact et de simplicité. Et moi, j'ai été stupide, positivement stupide. Je me sentais inerte, écrasée,
anéantie. Je vais essayer de me rappeler les termes de
cette conversation qui a dû lui donner de moi une si dé-   5
plorable idée. Nous étions là, assis à deux pas l'un de
l'autre. Moi, heureusement, à contre-jour.[1] — Mon colonel
m'a parlé ce matin, mademoiselle, et m'a dit que vous
cherchiez un cheval. — En effet, monsieur, c'est papa qui
me le donne pour ma fête de naissance . . .   10

« Était-ce assez bête ! Quel besoin de lui dire cela ? . . .
C'est que[2] les paroles ne me venaient pas et alors, dans mon
trouble, je disais n'importe quoi. Il continue : — Je peux
mettre à votre disposition un cheval qui, je crois, vous
conviendra parfaitement. — Je vous remercie, monsieur,   15
mais votre colonel a dit hier que vous aimiez beaucoup ce
cheval et je ne voudrais pas . . . — Mon Dieu, mademoiselle, c'est un excellent cheval, et sans cela je ne me per-
mettrais pas de vous le proposer, mais il est un peu mince
pour moi ; un petit poids lui conviendra mieux.   20

« Il mentait, car le colonel l'a monté, le cheval . . . et l'a
trouvé merveilleux . . . Et pour porter le colonel ! il n'est
pas d'un petit poids, le colonel ! Il est énorme ! ! !

« *Un petit poids lui conviendra mieux.* Était-ce assez
aimable sous une forme parfaitement discrète et distinguée ! 25
Il faut bien pénétrer le sens caché de cette phrase. Cela
voulait dire :[3] Vous êtes, vous, fine et légère, vous êtes une
plume, vous êtes un oiseau ! . . .

« Il ajouta : — Notre travail est quelquefois très dur . . .
Le cheval sera plus heureux avec vous . . .   30

« *Plus heureux avec vous ! ! !* Il a prononcé cette phrase
avec une sorte de douceur, presque de tendresse. C'était

une façon détournée de me dire: On ne peut pas ne pas
être[1] heureux avec vous, même les chevaux! . . .

«Peut-on rien imaginer de plus ingénieux, de plus dé-
licat?»

5   Et Jeanne, s'interrompant tout à coup:

— Alors tu ne te rendais pas compte de toutes ces jolies
choses que tu me disais?

— Non.

— Les pensais-tu, au moins?

10   — Oui.

— C'est l'essentiel . . . je reprends.

«Et moi, pour le remercier, je réponds sèchement: —
Eh bien! monsieur, j'accepte; quand pourrai-je essayer le
cheval? — Mais je l'ai amené; il est là, mademoiselle. Je
15 vais vous le laisser. Vous le garderez à l'essai huit jours,
quinze jours, tant que vous voudrez, on ne saurait[2] trop
essayer un cheval. — Oh! monsieur, vous êtes trop complaisant. Je monterai le cheval demain . . . et papa vous
portera tout de suite la réponse. — Non, mademoiselle, je
20 vous en prie, gardez le cheval au moins deux ou trois jours
avant de vous décider. Il ne me fera nullement défaut.[3]

— Eh bien! soit, monsieur, et je vous suis bien reconnais-
sante . . .

«Il se lève, salue, allait sortir . . . lorsque, tout d'un
25 coup, maman: — Mais, Jeanne, tu ne penses pas à une
chose très importante . . . le prix du cheval . . .

«Oh! maman, je l'aime bien, oui, je l'aime bien; je l'aime
de tout mon cœur; mais vrai, là, pendant un quart de
minute . . . pas plus . . . je l'ai détestée! Et elle avait
30 raison, par-dessus le marché, maman. Il valait peut-être
quatre ou cinq mille francs, le cheval . . . et alors mon
budget ne m'aurait pas permis . . . Mais avoir à traiter

directement avec lui cette misérable, cette basse question
d'argent, cela me faisait horreur!

« Je me mets à dire : — C'est vrai, monsieur, c'est vrai,
monsieur. Il y a la question du prix . . .

« Lui, heureusement, venant à mon secours : — Oh! 5
mademoiselle, le cheval n'est pas d'un grand prix. — C'est
que papa ne me donne que trois mille francs. — Trois mille
francs! mademoiselle; le cheval ne vaut pas trois mille
francs. Je l'ai payé moins que cela, et, quand on se défait
d'un cheval, on est toujours préparé à ne pas rentrer tout à 10
fait dans son argent![1] . . .

« Ah! c'est alors que je me suis dit : — Mais il
m'aime! mais il m'aime!! Ce cheval qu'il adorait, il
veut me le vendre à perte, pour le seul plaisir de me le
vendre! . . . 15

« Et je réponds dans mon trouble : — Oh! non, par exemple;[2] il faudra que vous ayez un petit bénéfice. — J'en
aurai un très grand, mademoiselle, si j'ai le bonheur de
vous obliger. Que[3] le cheval vous convienne, et je vous
assure que, votre père et moi, nous nous mettrons facile- 20
ment d'accord sur le prix . . .

« Là-dessus, salut circulaire[4] à grand'maman, à maman,
à moi, à Georges, à Bob, à tout le monde. Il allait partir,
mais, sur le seuil de la porte, il s'arrête; il avait décidément de la peine à partir. » 25

— Oui, c'est vrai.

— « Il me dit qu'il désirerait donner quelques explications
à notre cocher sur la manière de brider le cheval, sur le
mors qui l'embouchait le mieux . . . Alors grand'maman
. . . elle a été parfaite, grand'maman . . . Mais dame![5] 30
. . . grand'maman, elle n'est pas comme maman, elle ne
déteste pas les militaires . . . Elle a donc été parfaite, elle

a dit: — Descendons avec monsieur, Jeanne; nous verrons
le cheval . . . Louis doit être dans la cour.

«Nous sommes descendus, grand'maman, Georges, Bob,
lui et moi . . . Le cheval était là, tenu en main par un
5 chasseur; et, sur le dos du cheval, j'aperçois une selle de
femme. Le capitaine voît mon étonnement. — J'ai une
selle de femme, me dit-il, pour ma sœur, qui vient quelquefois monter à Saint-Germain . . . et tout à l'heure, comme
je n'aurais voulu pour rien au monde vous exposer à un
10 accident, j'ai mené le cheval à notre manège et je l'ai fait
monter en dame par mon ordonnance.

«Je regarde l'ordonnance: c'est le chasseur de l'autre
jour, le chasseur qui causait avec le concierge. Il me re-
connaît, je le reconnais. Je deviens écarlate. Et le capi-
15 taine, lui aussi, rougit légèrement. Je crois bien qu'il a
compris que nous nous reconnaissions, le soldat et moi . . .

«Ce n'était rien encore. L'ordonnance prend la parole
et dit: — Mais mon capitaine aussi l'a monté en dame, le
cheval, avec la couverture roulée en amazone. Il a voulu
20 s'assurer par lui-même . . .

«Alors le capitaine est devenu si rouge et moi si pâle, que
l'ordonnance s'est arrêté, ayant peur d'avoir dit une bêtise.

«Émue jusqu'aux larmes, je balbutiais: — Ah! que vous
êtes bon, monsieur, que vous êtes bon! . . .

25 «Lui, de son côté, répétait: — C'est bien naturel, mademoiselle, c'est bien naturel! . . .

«Et grand'maman, qui est fine, nous regardait avec ses
petits yeux qui sont à la fois très doux, mais très perçants.

«Louis, par bonheur, est arrivé. Il n'était pas dans la
30 cour; Georges était allé le chercher. Alors, devant Louis,
nous avons eu encore un petit bout de conversation . . .
Là je ne sais plus trop ce qui s'est dit. Il a expliqué à

Louis qu'il fallait mettre au cheval un mors très doux.
J'ai interrompu pour dire: — Un pelham? . . . Il a répondu: — Non, pas de pelham . . . un mors très doux . . .
Il a conseillé une martingale simple ou à anneaux, je ne
me rappelle pas . . . Enfin il a poussé la bonté jusqu'à 5
donner des indications sur la nourriture du cheval, tant
d'avoine, tant de paille, tant de foin. Après quoi, il nous
salua, il allait partir. Je fais un pas vers lui. Il s'arrête.
Je voulais absolument lui dire quelque chose d'aimable, de
gentil . . . mais l'émotion m'étranglait, les paroles ne 10
venaient pas. Lui attendait et répétait: — Mademoiselle
. . . mademoiselle . . . C'était une situation intolérable.
Il fallait parler à tout prix . . . Je ne trouve que ceci:
— Pardon, monsieur, comment s'appelle le cheval?
— Jupiter, mademoiselle. — Merci, monsieur. — Made- 15
moiselle . . .

«Et il est parti avec le chasseur, qui emportait la selle
de femme sur ses épaules. Il s'appelle Picot, ce soldat.
Georges entre à l'écurie avec Louis. Je reste seule avec
grand'maman, qui me dit: — Jeannette,[1] viens donc faire 20
un petit tour dans le jardin . . .

«Là, sur un banc, elle m'a confessée, grand'maman, et
je lui ai tout raconté . . . *tout*, c'est-à-dire *rien*, car il n'y
a *rien* et cependant ce *rien* est *quelque chose*. Grand'-
maman m'a dit: — Petite folle! petite folle! ne va pas te 25
mettre en tête.[2] — Je ne me mets rien en tête, grand'-
maman; je sais très bien que tout cela, c'est le hasard, oui,
c'est le hasard . . . Mais, je t'en prie, pas un mot à maman; elle se moquerait de moi, et puis, elle n'est pas comme
toi, maman; elle n'aime pas les militaires. — Comment! 30
alors moi? — Oui, grand'maman, toi, tu les aimes, et
il m'est arrivé plusieurs fois de me dire: — Je ne sais

pas, mais il me semble que cela ne serait pas désagréable à grand'maman, si, par hasard, j'épousais un militaire . . .

«Nous rentrons. — Enfin vous voilà, dit maman, mais expliquez-moi ce qui se passe. Il paraît que la cour était pleine de soldats. — Pas du tout, maman, il n'y avait . . . que ce monsieur et son ordonnance. — Son ordonnance! tu parles maintenant la langue des casernes. — Maman, c'est un mot que j'ai entendu tout à l'heure. — Il a l'air, d'ailleurs, parfaitement comme il faut,[1] ce monsieur, dit maman, et puis, tu n'as peut-être pas fait attention, en lisant sa carte. Tiens, il est comte. — Comte? — Oui, regarde. — Non, je n'avais pas remarqué . . .

«Peut-on mentir plus effrontément? Maman était très radoucie . . . Elle est excellente, ma pauvre chère mère, mais elle a une petite faiblesse. Si je devenais marquise ou comtesse, elle serait ravie. Moi, je n'attache pas à ces choses-là une grande importance. Bien sûr, cela ne me ferait pas aimer quelqu'un que je n'aimerais pas . . . Mais enfin cela ne m'empêcherait pas d'aimer quelqu'un que j'aimerais.»

— Tu as fini?

— Oui . . . et en voilà, je pense, assez pour un seul jour . . . A toi maintenant.

— «*Vendredi 6 juin.* Je dois y mettre de la discrétion. Je n'irai pas dans la forêt, je n'irai pas sur la terrasse. J'attends.»

— «*Vendredi 6 juin.* J'ai monté Jupiter ce matin et je crois même que je ne l'ai pas mal monté du tout. C'est merveille des merveilles! Grand'maman dormait encore quand je suis partie; en rentrant, je suis entrée dans sa chambre pour lui dire bonjour. Elle écrivait. Elle ne m'avait pas entendue ouvrir la porte. Alors, voulant la surprendre, je suis arrivée en tapinois . . . »

— C'est ton habitude, il paraît . . .

— « Grand'maman écrivait une lettre qui commençait par ces mots: *Mon cher général* . . . Je n'ai vu que cela. Grand'maman a tout de suite caché la lettre. Je me rappelle que grand'maman connaît un général qui occupe une belle position au ministère de la guerre. Pourquoi donc grand'maman lui écrit-elle ce matin? Et surtout pourquoi a-t-elle caché sa lettre? Après le dîner, on parle de l'affaire du cheval; papa, demain, ne partira que par le train de midi; il ira dans la matinée chez M. de Léonelle . . .

« La porte s'ouvre. C'était le colonel . . . et naturellement on reparle du cheval, de la visite projetée pour le lendemain: papa dit que cela le gêne un peu de ne partir qu'à midi, à cause de ses affaires. — Ne vous dérangez donc pas, dit le colonel; je verrai M. de Léonelle, j'arrangerai cela. Quant au prix, ce sera deux mille neuf cents francs. C'est ce qu'il a payé le cheval. Vous comprenez bien que M. de Léonelle n'a pas voulu faire une affaire.[1] Il a vu que je vous connaissais; il y a mis de la déférence; il a saisi avec empressement l'occasion d'être agréable à son colonel . . . Maintenant vous pouvez très bien, dans une quinzaine de jours, lui faire une politesse, l'inviter à dîner. Très probablement il refusera; c'est un sauvage, un loup. Il ne va nulle part, il s'enferme le soir pour travailler, en dehors du service, pour son compte personnel, par plaisir . . .

« Les choses ont été ainsi entendues. Refusera-t-il? je ne le crois pas. Et n'était-ce que pour être agréable à son colonel? . . . Je ne le crois pas non plus . . . »

— « *Samedi 7 juin.* Nous descendons de cheval à huit heures et demie dans la cour du quartier. Le colonel vient

à moi, me remercie de mon obligeance; il croit que c'est
à cause de lui que j'ai consenti à . . . La question du prix
est réglée en deux phrases, et le colonel ajoute: — Je crois
bien qu'on vous invitera à dîner dans une quinzaine de
5 jours, mais n'ayez pas peur; vous pourrez refuser.   J'ai dit
que vous étiez un loup, un sauvage. — Mais, mon colonel
. . . — Est-ce que ce n'est pas vrai ?   Vous refusez toutes
les invitations. — Je ne refuserais peut-être pas celle-là,
mon colonel. — Tiens, tiens, est-ce que je n'aurais pas
10 compris ?   Vous donnez au prix coûtant un cheval qui
valait au bas mot deux cents louis et dont vous aviez tout
d'abord déclaré ne pas vouloir vous défaire.   Eh! eh! elle
a de jolis yeux, la blondinette. — Eh bien! là, oui, mon
colonel; je vous avouerai que je la trouve délicieuse!

15   «Cela m'échappa . . . Le plaisir de parler d'elle
. . . Avoir Picot pour unique confident, c'était un peu
dur!

    «On vient chercher le colonel pour le rapport du samedi.
Pendant que le chef d'escadrons de semaine rendait compte
20 des gros événements de la veille: *Telle jument a reçu un*
coup de pied, tel homme a manqué à l'appel du soir, tel
cheval a été mordu, etc., etc., pendant ce temps, le colonel
me regardait d'un air goguenard, en tortillant sa grosse
moustache grise.   Après le rapport, il s'en est allé et, en
25 passant près de moi, il m'a dit: — Voyez-vous ça, ce jeune
sauvage qui est en train de s'apprivoiser et qui vend ses
chevaux . . . par amour!

    «C'est un excellent homme, le colonel, mais horrible-
ment bavard.   Mon secret sera bientôt le secret de tout le
30 régiment.»

    — «*Samedi* 7 *juin*.   C'est affreux!   La nuit dernière,
en rêve, je l'ai vu!   Oui, voilà où j'en suis![1]   Si M. Gam-

betta[1] est mêlé à ce rêve, c'est que la veille, pendant le dîner,
on avait tout le temps parlé de lui.

« Donc, il était général en chef . . . pas M. Gambetta,
non, M. de Léonelle . . . Il commandait toute l'armée
française; il remportait une grande victoire. M. Gambetta
venait le trouver et lui disait: — Vous avez été Bonaparte;[2]
soyez Napoléon!

« M. Gambetta voulait lui mettre une couronne sur la
tête; mais alors, lui, avec une admirable modestie, répon-
dait: — Non, non, Bonaparte me suffit; Napoléon, je n'y
tiens pas[3] . . .

« Et M. Gambetta répliquait: — J'aime autant ça,[4] je
garde le pouvoir . . .

« Est-ce bête, les rêves, et est-ce bête d'écrire des choses
pareilles! . . .

« Dans la journée, j'ai monté Jupiter. Toujours la
même merveille. Lui ne paraît pas, par discrétion, j'en
suis sûre. Le soir, après dîner, réapparition du colonel.
Maman, en l'entendant annoncer, a fait une petite grimace
qui voulait dire: — Quoi! encore ce militaire!

« Le colonel nous dit que l'affaire de Jupiter est arrangée,
à deux mille neuf cents francs . . . Et puis je le vois qui
tourne et manœuvre de façon à emmener papa fumer un
cigare dans le jardin. Un quart d'heure se passe. Maman
s'impatiente: — Ah çà![5] qu'est-ce que ton père peut faire
avec ce colonel? Il va s'enrhumer, il était nu-tête. Porte-
lui donc un chapeau et tâche de le faire rentrer. — Oui,
maman . . .

« J'arrive dans le jardin . . . J'entends cette phrase
prononcée par le colonel: *C'est une perle, je vous dis, c'est
une perle* . . . et puis un: *Chut![6] prenez garde!* On change
de conversation. Ah! c'est trop fort.[7] Est-ce qu'il aurait

déjà fait demander ma main *hiérarchiquement*[1] par son colonel? Est-ce ainsi que cela se passe dans la cavalerie? Ce serait aller un peu vite! Après une seule entrevue, dans laquelle il n'a été question que de foin, de paille et d'avoine!

5 « Le colonel et papa sont rentrés au salon. Le colonel est parti. Papa avait l'air préoccupé. A onze heures, quand je l'ai embrassé, avant de monter dans ma chambre, il m'a pris les deux mains et il m'a dit: — Tu es contente du cheval de ce monsieur? . . . J'ai répondu: — Oh oui,
10 papa . . . Si tu savais, mon cher Jupiter, je l'adore! . . . Je l'adore! !

« Je crois que j'ai dit cela avec trop de feu, trop de passion. A tout instant, j'ai peur de me trahir. Quand je parle de son cheval, il me semble que je parle de lui! Et
15 *la perle*, qui est-ce, *la perle?* Lui ou moi? . . . ou Jupiter?» . . . C'est tout . . . A toi.

— «*Dimanche 8 juin.* Je reçois ce matin cette lettre de ma sœur: *Je n'en peux plus.*[2] *J'ai passé ces deux jours à faire quarante visites. Je m'arrangeais pour glisser dans*
20 *la conversation cette petite phrase: Ne connaissez-vous pas, par hasard, une famille Lablinière? J'ai obtenu cinq ou six réponses. Toutes admirables. Des gens parfaits. Pas mal d'argent,*[3] *ce qui ne gâte jamais rien, mais de l'argent très correctement gagné. Sur la jeune fille, un seul cri:*
25 *C'est un ange! Allez donc de l'avant, mon capitaine, si le cœur vous en dit.*[4]

« Je reste stupéfait! Cela se voit donc que je suis amoureux? Ma sœur s'en est aperçue. A six heures, petite lettre du père. On m'invite à dîner pour mercredi
30 prochain, mercredi 11. Le colonel m'avait dit: *Dans une quinzaine.* Faut-il répondre tout de suite? Non, demain seulement. »

— «*Dimanche 8 juin*. Ce matin, de bonne heure, je descends. Le facteur venait de passer. Il y avait un paquet de lettres sur le plateau, dans l'antichambre. Y en a-t-il pour moi? Non, mais en voici une pour grand'-maman. Une lettre administrative avec un gros cachet rouge; sur ce cachet, je lis: *République française. Ministère de la guerre. Direction du personnel*.[1] Penser que ma destinée est là, dans cette lettre! car j'en suis bien sûre, elle a demandé des renseignements, grand'maman, elle a demandé des renseignements. Un domestique vient à[2] passer. Je me sauve comme une voleuse. Dix heures. Grand'maman doit être réveillée. Elle a dû lire sa lettre. Je monte chez elle: — Ah! te voilà, petiote! . . .

«Elle paraît toute guillerette, grand'maman; elle m'embrasse très tendrement, plus tendrement qu'à l'ordinaire. Oh! elle est contente, grand'maman! Cela se voit rien qu'à sa façon de m'embrasser ce matin. La lettre de ce général lui a fait plaisir . . .

«C'est aujourd'hui dimanche; papa n'est pas allé à Paris. Après déjeuner, grand'maman lui dit: — J'ai à vous parler. — Tiens, moi aussi . . .

«Ils vont tous les deux dans le fumoir. Pourquoi grand'-maman va-t-elle dans le fumoir? Je gagerais qu'elle fait lire à papa[3] la lettre de ce général . . .

«Elle est patriote, grand'maman. Bien souvent je lui ai entendu dire qu'il n'y a pas de plus noble carrière que l'armée . . . et que les mères sont coupables qui, par égoïsme, empêchent leurs filles d'épouser des soldats. Grand'maman a horreur de ces messieurs dont tout le mérite consiste en ceci: tuer beaucoup de pigeons au printemps et beaucoup de faisans en automne; tandis que maman, elle, a une secrète tendresse pour les jeunes gens

qui ne font œuvre de leurs dix doigts, en dehors du susdit
massacre de pigeons et de faisans. Continuellement, à ce
sujet, maman et grand'maman se disputent.

«Enfin, la journée se passe. Au milieu du dîner, papa
5 dit avec une sorte de négligence : — Il a été véritablement
très aimable, ce jeune officier ; je l'ai invité à dîner pour
mercredi prochain. — Pour mercredi ! s'écrie maman . . .
A quoi bon tant de hâte ? Si tu te mets à attirer ici tous ces
militaires ! . . . Celui-là est charmant, je l'accorde, mais
10 il en amènera d'autres . . . Notre maison va devenir une
caserne, un camp ! . . . »

— «*Lundi* 9 *juin.* Je deviens stupide. J'ai mis une
heure, ce matin, à écrire les huit petites lignes de ma lettre
pour accepter cette invitation. J'ai recommencé dix fois,
15 vingt fois, et, à peine ma lettre partie, je me suis souvenu
que j'avais mis deux fois le mot *plaisir* dans ces huit mal-
heureuses lignes. »

— «*Lundi* 9 *juin.* Il a accepté ! Nous déjeunions ce
matin ; les fenêtres de la salle à manger ouvrent sur la cour
20 . . . Tout d'un coup maman s'écrie : — Bon ! encore un
soldat qui rôde là, dans la cour ! . . .

«Je regarde et cette phrase m'échappe : — Ah ! c'est
Picot !

«Alors il fallait voir[1] maman, il fallait l'entendre ! — C'est
25 le comble ! voilà que Jeanne maintenant sait les noms de
tous ces soldats ! — D'un seul, maman, d'un seul . . .
C'est celui qui, l'autre jour, a amené Jupiter . . .

«Grand'maman a eu un accès de fou rire[2] . . . Comme
elle est gaie, grand'maman ! . . . Ce matin, dans l'escalier,
30 elle chantait ! Devaient-ils être bons, les renseignements
donnés par ce général ![3] . . .

«Après le déjeuner, je me suis emparée de *sa* lettre . . .

Comme elle est élégante dans sa simplicité! La voici
textuellement: *Monsieur, j'ai reçu l'invitation que vous
m'avez fait l'honneur de m'adresser pour le mercredi 11 juin.
Je l'accepte avec le plus grand plaisir et la plus grande
reconnaissance. J'ai appris avec beaucoup de plaisir que* 5
*mademoiselle votre fille était contente du cheval . . . Daignez
agréer,*[1] *monsieur, l'assurance de mes sentiments respec-
tueux . . .*

«C'est exprès, j'en suis bien certaine, qu'il a répété deux
fois le mot *plaisir* . . . Il savait que je verrais sa lettre . . . 10
Il tenait à[2] bien appuyer sur cette idée-là.»

— «*Mardi* 10 *juin.* Je dîne demain chez elle.»

— «*Mardi* 10 *juin.* Il dîne ici demain.» Et nous
arrivons au grand jour du dîner. A toi le récit du dîner.

— Veux-tu m'en croire?[3] ma Jeannette . . . Restons-en 15
là pour aujourd'hui . . . Et d'abord, regarde donc un peu
quelle heure il est.

— Oh! deux heures du matin!

— Oui, deux heures du matin! C'est déjà une bonne
raison pour nous en tenir là . . . Ce n'est pas la seule . . . 20
Je crois qu'à partir de maintenant nos écritures vont devenir terriblement monotones. Ce sera de l'amour, et encore de l'amour, et toujours de l'amour! Il n'y aura plus
que cela dans nos petites notes . . . dans les miennes, au
moins. 25

— Dans les miennes aussi.

— Et de l'amour comme tout le monde, de l'amour avec
la liberté de nous voir, de l'amour avec la liberté de nous
parler . . . Dès que j'ai pu te regarder de tout près, le
beau mérite de t'avoir vue telle que tu étais, telle que tu es, 30
c'est-à-dire la plus jolie et la meilleure de toutes les femmes!
Le beau mérite de t'avoir aimée! Non, vois-tu, ce qui a

été rare et délicieux dans notre roman, c'est son début.
Nous nous sommes aimés en quelque sorte d'instinct, à
distance, à première vue, sans avoir besoin de nous parler
ni de nous connaître.   Tout de suite, quant à moi, à travers
5 tes yeux, j'ai lu dans ton âme.   Depuis le 11 juin, le jour
du dîner, jusqu'au 17 août, le jour du mariage, nous avons
échangé bien des paroles et bien des paroles;[1] nous nous
sommes dit de bien douces et de bien gentilles choses; mais
jamais, ma Jeannette, jamais il n'y eut entre nous de con-
10 versation plus tendre, plus passionnée, que cet absurde
dialogue, dans la cour, près de l'écurie, devant Jupiter et
Picot.   J'ai été pris ce jour-là d'une telle émotion que j'ai
senti que c'en était fait à jamais de ma destinée.[2]   Je suis
sorti de cette petite cour de la rue des Arcades avec la
15 certitude que tu serais à moi et que ma vie entière se pas-
serait à tâcher de te rendre heureuse . . . Il y a bientôt
deux ans de cela[3] . . . Jusqu'à présent, mon amour, ai-je
réussi ?

    — Oh! oui, mon ami.   Oh! oui! . . .

20   Elle n'était plus sur le petit pouf . . . Elle était sur ses
genoux . . . Et, laissant de côté les petits cahiers, ils ne
lurent pas plus avant ce soir-là.[4]

NOTES

NOTES

Page 1. — 1. **Lui.** Note the disjunctive pronoun used for contrast and emphasis.

2. **agenda,** *note-book;* pronounce as if spelled *a-gin-da.*

3. **21ᵉ,** *e* is an abbreviation of the ordinal ending *-ième.*

4. **fermés à clef,** *kept under lock and key.*

Page 2. — 1. **porté pour chef d'escadrons,** *recommended for a majorship.* *Porter,* as a military term, = "to inscribe," "carry" (as on· a muster roll), hence "to recommend" (for promotion, etc.).·

Page 3. — 1. **dormirait.** It will be observed that the conditional denoting probability, conjecture, or possibility in questions and exclamations is used freely throughout this text. It should be translated by *can* or *could,* as the case demands.

2. **que.** To avoid repetition *que* often replaces another conjunction, here *parce que.*

3. **Il était dans son droit,** *He was within his rights.*

4. **Cela dit,** absolute construction, *that said.*

5. **elle venait de lire,** *she had just read.* *Vient de* = "has just."

Page 4. — 1. **Qu'est-ce que c'est que ça?** *What is that?*

2. **un petit restant de sanglots,** *a final little sob.*

3. **que,** *in order that;* elliptical for *pour que, afin que.*

4. **Donnant, donnant,** *give and take,* a proverbial expression, indicating that the speaker's motive is not a disinterested one.

5. **l'emporte en,** *has the most;* more lit., "has the advantage in." The neuter pronoun *l'* is untranslatable.

Page 5. — 1. **un méchant petit carnet de rien du tout,** *one utterly insignificant little note-book.*

2. **bien des,** *many;* **bien** followed by *de* + the definite article regularly = *beaucoup de.*

3. **C'est entendu,** *agreed.*

43

4. **Soit** (sound the *t*), *all right; very well.*

5. **m'y voilà,** *I have it; here it is.*

6. **Aller,** the infinitive is frequently used in an imperative sense.

7. **hautes actions,** *high* or *lively stepper; showy action.*

8. **Doit se vendre,** *is to be sold.*

Page 6. — 1. **ministère de la guerre,** *War Office.*

2. **Il y a ça? . . . Tu n'arranges pas un peu . . .?** *Is that there? You're not making up something . . .?*

3. **A toi,** *it's your turn.*

4. **que,** untranslatable; cf. *je crois que non,* "I think not."

5. **C'est bien par acquit de conscience,** *it's merely for conscience sake.*

6. **Louvre,** the principal museum of Paris.

7. **Salon,** *art exhibition* (painting and sculpture), now held annually in the Grand Palais in the Avenue des Champs-Élysées.

8. **si,** *yes,* used instead of *oui* in correction, contradiction, or dissent.

Page 7. — 1. **à partir de Chatou,** *from Chatou on.* Chatou is a village 10 miles west of Paris.

2. **je tiens à,** *I insist upon.*

3. **serait,** cf. page 3, note 1.

Page 8. — 1. **terrasse . . . forêt.** The scene of this romance is laid in Saint-Germain, a small city 11 miles west of Paris, once the residence of the French kings. The chief points of interest at Saint-Germain are the "old castle," which dates from the time of Francis I (1494–1547), now occupied by a museum of national antiquities; *the terrace* — 1½ miles in length — from which an excellent view may be had of the Seine valley and the environs of Paris; and *the forest*, one of the most magnificent in France.

2. **pavillon Henri IV,** practically all that remains of the "new castle" begun at Saint-Germain by Henry II (1519–1559), and completed by Henry IV, king of France from 1589–1610. The pavilion is situated at the southern extremity of the terrace, and is famous in history as the birthplace of Louis XIV.

3. **faisant faire des pas de côté . . . voltes sur place,** *making his horse side-step, whirl, change his pace, wheel about in his tracks.*

Page 9. — 1. C'est d'une concision! *How brief!*

Page 10. — 1. les Loges, school for the education of the daughters of the members of the Legion of Honor, situated in the forest of Saint-Germain.

2. Val, the small *château du Val*, near the northern extremity of the terrace.

Page 11. — 1. que, *when.*

2. Mon Dieu! *Heavens!* or the like. No idea of irreverence is attached to this, the most popular of French exclamations.

3. Qu'est-ce que tu as . . .? *What is the matter with you . . .?*

Page 12. — 1. Elle allait bien, *it fitted very well; it was very becoming.*

2. qui est toujours à rôder, *who is always prowling about.*

3. Moi de répliquer, *I replied;* the so-called historical infinitive.

4. J'étais bien avancé! *A lot of information I got from them! Much good my conversation with them did me!*

Page 13. — 1. ça bout là-dedans, *my head is all in a whirl;* lit., "that boils in there."

Page 14. — 1. Adélaï . . ., complete form: *Adélaïde.*

2. Mais ça doit vous être égal, . . . le nom . . ., *But you don't care anything about the names . . .*

3. The boulevard Haussmann extends through commercial and aristocratic sections of Paris. It was named in honor of Baron Georges-Eugène Haussmann (1809–1891), appointed prefect of the department of the Seine in 1853, and celebrated for the many improvements that he made in the streets and public buildings of the capital.

4. Comment . . . s'y est-il pris . . . la conversation? *How did that simpleton of a Picot go about beginning the conversation?*

5. Je n'ai pas eu grand mérite, allez! *I don't deserve much credit, I can assure you!*

6. Ça y était, *that set the ball to rolling.*

7. sauf permission, *if you'll pardon the observation.*

8. bourgeoise, *mistress;* lit., "wife of a citizen."

9. il se met à défiler le chapelet, *he begins to rattle off. Défiler le chapelet* = lit., "to tell the beads."

Page 15. — 1. **durs à la détente,** *close-mouthed;* lit., "hard on the trigger."

2. **Ça roulait. Ça roulait,** *he chattered and chattered.*

Page 16. — 1. **sauf permission,** cf. page 14, note 7.

2. **Camus** = "flat-nosed."

3. **vous me faisiez espionner,** *you had me spied upon.*

Page 17. — 1. **Si fait,** *Yes, you did,* stronger than *si* alone.

2. **dolman,** *dolman,* a hussar's uniform jacket profusely ornamented with braid.

3. **devait avoir,** *was to have.*

4. **Nous en restons là,** *We drop the subject.*

Page 18. — 1. **Cauterets,** small town in southwestern France, famous for its sulphur springs.

2. **à lui en vouloir sérieusement,** *to be really provoked at him.*

3. **faire de la haute école,** *to put his horse through his paces.* *Haute école* = "higher equitation exercises."

4. **va-t-il.** When *aussi,* "so," "therefore," begins the sentence or clause, the inversion of subject and predicate is regular.

Page 19. — 1. **C'est que,** *that's because.*

2. **ces huit jours,** *that week.*

3. **manœuvres avec cadres,** *officers' drills,* i.e. drills carried on without men.

4. **Vernon,** town, some 50 miles northwest of Paris. — **Rouen,** city of Normandy, 85 miles northwest of Paris.

5. **Moi de protester,** cf. page 12, note 3.

Page 20. — 1. **Les choses en sont là,** *that's how matters stand.*

2. **fête,** *fair.* French towns and villages usually hold their fairs in the streets. Merry-go-rounds, shooting-galleries, gaily decked booths, side-shows, music, etc., serve to break the monotony of provincial life.

3. **avenue des Loges,** a broad avenue extending from the outskirts of Saint-Germain through the forest to *les Loges* (cf. page 10, note 1).

Page 21. — 1. **à tout autre, jamais!** *to any one else, never!*

2. **tu nous feras faire nos portraits?** *will you have our pictures taken?*

Page 22. — 1. **Je crois . . . arrangements,** cf. page 6, note 2.

2. **je crois bien!** *I should think so!*

3. **me voilà parti!** *then I launched forth!*

Page 23. — 1. **il y a quinze jours,** *a fortnight ago.*

2. **se monte,** *can be ridden.*

Page 24. — 1. **J'ai dû être,** *I must have been.*

2. **pelham** (from the surname *Pelham*), *Pelham bit,* a combination of the curb and the snaffle.

3. **m'écorchaient les lèvres,** *burned my lips.* *Écorcher* = lit., "to skin," "flay."

4. **j'avais si bien la tête à l'envers,** *I was so terribly upset.* *A l'envers* = "wrong side out," "upside down."

Page 25. — 1. **Brave,** *good.*

2. **ne pouvait,** occasionally with *pouvoir* negation is expressed by *ne* alone; also with *oser, cesser,* and *savoir,* and in a few idiomatic constructions.

3. **J'ai dû,** cf. page 24, note 1.

Page 26. — 1. **Tu as le sang à la tête,** *Your face is all flushed.*

2. **Il ne manquait plus que cela!** *That's the last straw!* i.e. nothing more was needed (would be needed) to convince me that my heart was well bestowed.

3. **je n'entends rien, moi, aux choses de cheval,** *I know nothing about horse matters.*

Page 27. — 1. **à contre-jour,** *with my back to the light.* *Contre-jour,* "counter-light," sometimes means "false" or "unfavorable light."

2. **C'est que,** *the fact is.*

3. **Cela voulait dire,** *That meant.*

Page 28. — 1. **On ne peut pas ne pas être,** *One can't help being.*

2. **ne saurait,** the conditional of *savoir* with *ne* = *cannot.*

3. **Il ne me fera nullement défaut,** *I shan't miss him in the least.*

Page 29. — 1. **on est toujours préparé . . . dans son argent,** *one never expects to get all of one's money back.*

2. **par exemple,** *that will never do.* This phrase has various shades of meaning.

3. **Que,** *let* or *just let.*

4. **salut circulaire,** a comprehensive bow, slighting none of those present.

5. **dame,** derived from the Latin *dominus* or *domina,* and so originally an invocation to our Lord or to the Virgin Mary. It must be translated always according to the context; here *gracious, bless me.*

Page 31. — 1. **Jeannette,** the diminutive ending *-ette* is used to denote affection.

2. **ne va pas te mettre en tête,** *don't get your head full of silly notions.*

Page 32. — 1. **Il a l'air . . . parfaitement comme il faut,** *He seems to be a thorough gentleman.*

Page 33. — 1. **faire une affaire,** *to drive a bargain.*

Page 34. — 1. **voilà où j'en suis!** *it has come to that!*

Page 35. — 1. **Gambetta,** Léon Gambetta (1838–1882), a native of southern France, was admitted to the bar in Paris in 1859, and was elected to the Chamber of Deputies in 1869. During the Franco-Prussian War, he was made Minister of the Interior in the Government of National Defense. After serving as President of the Chamber of Deputies from 1879–81, he became Prime Minister, Nov., 1881—Jan. 1, 1882.

2. **Bonaparte . . . Napoléon,** i.e. You have been Bonaparte, the victorious commander; now be Napoleon, the monarch.

3. **je n'y tiens pas,** *I care nothing about that.*

4. **J'aime autant ça,** *that suits me just as well.*

5. **Ah ça!** *Well!*

6. **Chut,** always spoken without voice, like the English equivalent, *sh.* The *t* should be sounded.

7. **c'est trop fort,** *that's going a little too far.*

Page 36. — 1. **hiérarchiquement,** *hierarchically,* i.e. through the medium of a superior officer.

2. **Je n'en peux plus,** *I am tired out.*

3. **Pas mal d'argent,** *considerable money.*

4. **Allez . . . de l'avant . . . vous en dit,** *Forward, march, captain, if you feel like it.*

Page 37. — 1. **Direction du personnel,** *General Staff.*

2. **vient à,** *happens to.*

3. **fait lire à papa,** *is having papa read.*

Page 38. — 1. **il fallait voir,** *you should have seen.*

2. **a eu un accès de fou rire,** *"nearly died laughing."* **Accès de fou rire** = "fit of immoderate laughter."

3. **Devaient-ils être bons,** etc., *How favorable the information given by that general must have been!*

Page 39. — 1. **Daignez agréer,** etc. Such epistolary formulas are equivalent to the English *Yours very truly.*

2. **Il tenait à,** *He made it a point to.*

3. **Veux-tu m'en croire?** Translate: *Listen,* or *I'll tell you what.*

Page 40. — 1. **bien des paroles et bien des paroles,** *many and many a word.*

2. **que c'en était fait . . . destinée,** *that my fate was sealed forever.* **C'en était fait de** = "it was all over with."

3. **Il y a bientôt deux ans de cela,** *that was nearly two years ago.*

4. **ils ne lurent pas plus avant ce soir-là,** a reminiscence of the closing verse of Dante's magnificent lines on the love of Paolo Malatesta and Francesca da Rimini:

> "Quel giorno più non vi leggemmo avante."
> *That day we read in it no farther.*

VOCABULARY

A

à, to, at, in, on, with, by, from, of.

abord (d'), first, at first.

absolument, absolutely, by all means.

absurde, absurd.

accepter, to accept.

accord, *m.*, agreement, harmony; **se mettre d'—,** to come to an agreement.

accorder, to grant.

accoutrement, *m.*, garb.

acheter, to buy.

achever, to finish.

acquit, *m.*, receipt, satisfaction.

adjudant, *m.*, adjutant.

admettre, to admit.

administrati-f, –ve, administrative, from an office of the government.

admirablement, admirably.

adorer, to adore, worship.

adresse, *f.*, address.

adresser, to address, send.

adroitement, adroitly, skilfully.

affaire, *f.*, affair, business, matter; **connaître son —,** to know what one is about; **être l'— de,** to be the thing for.

affreu-x, –se, frightful, awful.

agenda, *m.*, memorandumbook, note-book.

agréable, agreeable, pleasant.

agréer, to accept.

ailleurs (d'), moreover, besides, after all.

aimable, amiable, pleasant, nice, lovely, gracious.

aimer, to love, like.

ainsi, thus, so.

air, *m.*, air, appearance, look; **avoir l'— (de),** to seem, look like; **avec l'— de,** like.

aise, *f.*, ease.

ajouter, to add.

allée, *f.*, lane.

aller, to go, go on, go and, be going; to be about; **s'en —,** to go away; **allons!** come! well!

alors, then.

amazone, *f.*, riding-habit.

âme, *f.*, soul.

amener, to bring, lead.

ami, *m.*, friend; **mon —,** my dear.

amour, *m.*, love, darling; **—propre,** self-love, vanity.

amoureu-x, –se, in love.

amuser, to amuse; **s'—,** to amuse oneself.

an, *m.*, year.

ancien, –ne, ancient, old, of bygone days.

anéanti, –e, annihilated.

ange, *m.*, angel.

anglais, –e, English.

anneau, *m.*, ring.

année, f., year.

annoncer, to announce.

antichambre, f., antechamber, hall.

août, m., August.

apercevoir, to perceive, see, notice, catch sight of; s'—, to notice.

appel, m., roll-call.

appeler, to call; s'—, to be called or named.

apporter, to bring.

apprendre, to teach, tell, learn, find out.

apprivoiser (s'), to be tamed, become sociable.

approcher, to approach.

appuyer, to lean, rest; — sur, to lay stress on, emphasize.

après, after.

après-midi, m., f., afternoon.

ardent, –e, ardent, spirited.

argent, m., silver, money.

aride, dry, uninteresting.

armée, f., army.

arranger, to arrange, settle, make up; s'—, to manage, contrive.

arrêter, to stop; s'—, to stop.

arriver, to arrive, come, come up, reach, approach, happen.

asseoir (s'), to sit down, sit.

assez, enough, rather, quite, very.

assis, –e, seated.

assurer, to assure; s'—, to make sure.

attacher, to attach.

attendre, to wait, await, expect; attends donc! wait a minute!

attendrissement, m., feeling, tenderness, emotion.

attention, f., attention; faire — à, to pay attention to, notice.

attentivement, attentively.

attirer, to attract, bring.

aucun, –e, any, no, none.

augmenter, to augment, increase.

aujourd'hui, to-day, the present.

auparavant, before.

aussi, also, too, as, so, therefore; — . . . que, as . . . as.

autant, as much, so much, as many, so many.

automne, m., f., autumn.

autorité, f., authority.

autre, other.

autrefois, formerly, long ago.

Autriche-Hongrie, f., Austria-Hungary.

avant, before, far; — de, before; plus —, farther.

avantage, m., advantage.

avant-hier, the day before yesterday.

avec, with.

avoine, f., oats.

avoir, to have, possess; (to be); il y a, there is, there are, (ago); il y avait or eut, there was, there were; il y aura, there will be; avoir à, to have to; j'ai à vous parler, I have something to say to you; qu'est-ce que tu as? what is the matter with you?

avouer, to confess, acknowledge.

B

bai, –e, bay; — brun, dark bay.

baiser, m., kiss.

baisser, to lower, drop.

balbutier, to stammer.

bambin, m., little chap.

banal, –e, commonplace.

banc, m., bench, seat.

baraque, f., booth.

bas, –se, low, base, vile.

bavard, –e, talkative, loquacious.

bavarder, to chatter, gossip.

beau, bel, *m.*, belle, *f.*, beautiful, handsome, good-looking, nice, fine, great.

beaucoup, much, very much, many, a great deal.

belle-mère, *f.*, mother-in-law.

belle-sœur, *f.*, sister-in-law.

bénéfice, *m.*, profit.

besoin, *m.*, need; avoir — de, to want, need.

bête, *f.*, beast, animal.

bête, silly, stupid.

bêtise, *f.*, stupid thing, blunder.

bien, well; surely, quite, indeed; many, very, much; dearly, merely, clearly, plainly, strongly, precisely; sure enough; all right, very well; (satisfactory); ou —, or else; c'est —, all right, very well; si — que, so that.

bientôt, soon.

blan-c, -che, white.

bleu, -e, blue.

blond, -e, blonde, fair.

blonde, *f.*, blonde, blonde girl.

blondinette, *f.*, little blonde, blonde *or* fair maiden.

bon, -ne, good, favorable; —! good! well!; à quoi — . . .? what is the use of . . .?

bonbon, *m.*, sweetmeat, bonbon.

bonheur, *m.*, happiness, good luck; par —, luckily; avoir le — de . . ., to be so fortunate as to . . .

bonjour, *m.*, good day, good morning.

bonté, *f.*, goodness, kindness.

boucle, *f.*, curl, ringlet.

bouger, to move, budge.

bouillir, to boil.

bouillon, *m.*, broth.

bout, *m.*, end, bit, scrap.

boutique, *f.*, shop.

bras, *m.*, arm.

brider, to bridle.

brigadier, *m.*, corporal (*cavalry*).

brillant, -e, brilliant, fine.

briller, to shine, show off.

brun, -e, brown.

brusquement, abruptly, suddenly.

brutalement, brutally.

budget, *m.*, budget, funds.

bulletin, *m.*, bulletin, report, account.

bureau, *m.*, desk, writing-desk.

but, *m.*, object, aim, purpose; sans —, aimlessly.

C

ça, that.

cabinet, *m.*, study, private room; — de toilette, dressing room.

cacher, to hide, conceal.

cachet, *m.*, seal.

cadre, *m.*, list of officers, staff.

café, *m.*, coffee.

cahier, *m.*, note-book.

câlinement, caressingly.

campagne, *f.*, country.

caniche, *m.*, poodle.

capitaine, *m.*, captain.

car, for, because.

carnet, *m.*, note-book, memorandum-book.

carrière, *f.*, career, profession.

carte, *f.*, card, visiting-card.

caserne, *f.*, barracks.

cause, *f.*, cause; à — de, on account of.

causer, to chat, talk.

cavalcade, *f.*, cavalcade, procession of horses.

cavalerie, *f.*, cavalry.

ce, c', he, she, it, they, that.

ce, cet, *m.*, cette, *f.*, ces, *pl.*, this, that, these, those.

ce qui, que, that, which, what.

ceci, this.

céder, to yield, dispose of, sell.

cela, that, it.

celui, this *or* that one, the one.

celui-là, *m.,* **celle-là,** *f.,* **ceux-là, celles-là,** *pl.,* that one, those.

cent, hundred.

cependant, however, meanwhile.

certain, -e, certain, no slight.

certainement, certainly.

certitude, *f.,* certainty.

chambre, *f.,* chamber, room.

changement, *m.,* change.

changer (de), to change.

chanter, to sing.

chapeau, *m.,* hat.

charmant, -e, charming, lovely.

charrette, *f.,* cart.

chasseur, *m.,* chasseur, light cavalry, light cavalryman.

chaud, -e, warm; **il fait —,** it is warm.

chef, *m.,* chief, leader; **— d'escadrons,** major (*cavalry*).

chemin, *m.,* way, road; **— de fer,** railroad; **en — de fer,** on the train.

cheminer, to go along.

ch-er, -ère, dear.

chercher, to seek, look for, look around, get.

cheval, *m.,* horse; **à —,** on horseback; **— de selle,** saddle-horse.

cheveu, *m.,* hair.

chez, at, to, *or* in the house, home, shop, room *or* lodge of; **— Chéri,** at Chéri's.

chiffre, *m.,* figure, number.

chose, *f.,* thing, matter; **autre —,** something else.

chut! hush! sh!

cigare, *m.,* cigar.

cinq, five.

cinquante, fifty.

circulaire, circular.

clef, *f.,* key.

cocher, *m.,* coachman.

cœur, *m.,* heart.

coiffer, to dress the hair.

colère, *f.,* wrath, anger.

collet, *m.,* collar.

colonne, *f.,* column.

comble, *m.,* height, acme, climax; **c'est le —,** that caps the climax.

commander, to command.

comme, like, as; **—!** how!

commencement, *m.,* beginning.

commencer, to commence, begin.

comment, how; **—!** how! what!

commentaire, *m.,* commentary.

comparer, to compare.

complaisant, -e, obliging, accommodating.

comprendre, to understand.

compte, *m.,* account; **tenir — de,** to pay attention to, heed; **rendre — de,** to give an account of; **se rendre — de,** to be aware of; **pour son — personnel,** on one's own account.

comte, *m.,* count.

comtesse, *f.,* countess.

concierge, *m.,* porter, janitor.

concision, *f.,* conciseness, brevity.

conçu, -e, worded.

conduire, to conduct, lead, take.

confesser, to confess, cause to confess.

confident, *m.,* confidant.

connaissance, *f.,* acquaintance.

connaître, to know, be acquainted with.

conseiller, to advise, recommend.

consentir, to consent.

conserver, to preserve, keep.

consister, to consist.

construire, to construct.

contempler, to contemplate, gaze on.

content, -e, contented, satisfied.

continuellement, continually, always.

continuer, to continue, go on, pursue.

contre, against, at.

convenir, to suit, agree.

correct, -e, correct, proper.

correctement, correctly, honestly.

côté, m., side; de —, to one side, aside; de son —, on his *or* her part; à — de, beside, near, alongside of; laisser de —, to lay aside.

coup, m., blow, stroke; du premier —, at once; pour le —, at this, this time; d'un seul —, all at once; tout à —, all of a sudden.

coupable, guilty, blamable.

coupure, f., suppression.

cour, f., court, courtyard.

couronne, f., crown.

coûtant, au prix —, at prime cost.

couverture, f., blanket, horse-cloth, saddle-cloth.

cramoisi, -e, crimson.

cri, m., cry, exclamation.

crier, to cry, shout.

croire, to believe, think; — bien, to be sure.

cuisinière, f., cook.

curiosité, f., curiosity.

D

daigner, to deign, be pleased.

dame, f., lady; en —, lady-fashion, with a side-saddle.

dans, in, into, during, on.

daté, -e, dated.

davantage, more.

de, of, from, with, for, to, in; — ... en, from ... to.

débiter, to utter, spout.

débordement, m., overflowing, outburst.

débrouillard, -e, wide-awake, up to snuff.

début, m., beginning.

décembre, m., December.

décidément, decidedly, positively, really.

décider, to decide, persuade, induce; se —, to make up one's mind.

décisi-f, -ve, decisive.

déclarer, to declare.

découvrir, to discover, find out.

défaillir, to grow faint.

défaire (se), to get rid of, part with.

défaut, m., deficiency, want.

déférence, f., deference, respect; y mettre de la —, to be deferential, show deference.

défier, to defy; se — de, to mistrust, beware of.

dégager (se), to free oneself.

dehors, outside; en — de, in addition to, apart from, besides.

déjà, already.

déjeuner, to breakfast.

déjeuner, m., breakfast.

délicieu-x, -se, delicious, delightful, charming.

demain, to-morrow.

demander, to ask, ask for, beg, desire; se —, to wonder; ne — qu'à, to be only too glad to.

demeurer, to live, dwell.

demi, -e, half, the half-hour.

demoiselle, f., damsel, young lady.

dépendre, to depend.

depuis, since, from; — quelque temps, lately; — ... jusqu'à, from ... to.

déranger (se), to trouble oneself.

derni-er, -ère, last.

derrière, behind; **par —,** behind.

dès, from, since, as early as; **— que,** when, as soon as.

désagréable, disagreeable, unpleasant, distasteful.

désastreu-x, -se, disastrous.

descendre, to descend, come down, go down, go downstairs; **— de cheval,** to dismount.

désirer, to desire, wish, like.

désolé, -e, disconsolate, in great distress.

destinée, *f.,* destiny, fate.

détester, to detest.

détourné, -e, indirect.

deux, two; **tous les —,** both.

devant, before, in front of, in the presence of.

développement, *m.,* development, elaboration.

devenir, to become, get, grow.

dévisager, to stare at, eye.

devoir, to owe, be bound, ought, have to, be (to), must; **a dû . . .,** must have . . .; **j'aurais dû,** I should have.

diablement, deucedly, confoundedly.

Dieu, *m.,* God; **mon —!** heavens! dear me! why, well, indeed.

difficile, difficult.

dimanche, *m.,* Sunday.

diminuer, to diminish.

dîner, to dine.

dîner, *m.,* dinner.

diplomate, *m.,* diplomat.

dire, to say, tell, mention, utter; **se —,** to say to oneself, to each other; to be said; **c'est-à- —,** that is to say.

directement, directly.

discours, *m.,* discourse, speech.

discr-et, -ète, discreet.

discrétion, *f.,* discretion; **y mettre de la —,** to be discreet, careful, tactful.

disposition, *f.,* disposition, disposal.

disputer (se), to dispute.

distance, *f.,* distance; **à —,** at a distance.

distingué, -e, genteel, tasteful, elegant.

distinguer, to distinguish, single out.

dix, ten.

dix-neuf, nineteen.

dizaine, *f.,* some ten, half a score.

doigt, *m.,* finger.

domestique, *m., f.,* domestic, servant.

dominer, to dominate, be master of.

donc, then, therefore, pray, just, I wonder, well then.

donner, to give, sell; **— sur,** to open on, look into.

dont, of whom, whose, from whom, which, of which, from which.

dormir, to sleep, be asleep.

dos, *m.,* back.

doucement, gently, softly.

douceur, *f.,* sweetness, gentleness, softness.

douleur, *f.,* grief, sorrow, misfortune.

dou-x, -ce, sweet, gentle, kind, easy.

douzaine, *f.,* dozen, some twelve.

douze, twelve.

dragon, *m.,* dragoon.

droit, *m.,* right; *adv.,* straight, directly.

drôle, droll, funny.

dur, -e, hard.

durement, roughly.

E

éblouissement, *m.*, dazzling; **avoir un —,** to feel quite dazzled.

écarlate, scarlet.

échanger, to exchange.

échapper, to escape, slip; **laisser —,** to pour forth, utter.

école, *f.*, school.

écouler, to elapse.

écouter, to listen.

écrasé, -e, crushed.

écrier (s'), to cry out, exclaim.

écrire, to write.

écriture, *f.*, writing.

écurie, *f.*, stable.

éducation, *f.*, education, training.

effet, *m.*, effect; **en —,** in fact, indeed; **faire l' —de,** to seem like, strike one as being.

effrontément, impudently,boldly, shamelessly.

égal, -e, equal, all one, indifferent.

égoïsme, *m.*, egotism, selfishness.

eh! ah! well!; **— bien!** well!

elle-même, herself.

éloge, *m.*, eulogy, praise; **faire un — de,** to eulogize, praise.

éloigner (s'), to move away, leave.

emboucher, to bit, suit the mouth.

embrasser, to kiss.

emmener, to take away, lead away, take with oneself.

emparer (s'), to seize, get hold (of), possess oneself (of).

empêcher, to prevent.

emporter, to carry away.

empressement, *m.*, eagerness.

ému, -e, moved, touched.

en, in, into, upon, by, while, like a, as a.

en, *pers. pron.*, of him, of her, of them, of it, thence, from him, etc.; it, any, some.

encadrement, *m.*, frame; **dans l'— de,** encircled by.

encore, again, still, yet; **— un,** another.

encre, *f.*, ink.

enfant, *m., f.*, child.

enfermer (s'), to shut oneself up.

enfin, finally, at last, after all, in short, well.

énorme, enormous.

enrhumer (s'), to catch cold.

ensemble, together.

ensuite, afterwards, then, next.

entendre, to hear, understand, know.

entendu, -e, agreed, arranged.

enti-er, -ère, entire, whole.

entortiller, to wrap up.

entre, between.

entrecoupé, -e, broken.

entrée, *f.*, entrance.

entrer, to enter; **faire —,** to show in.

entrevue, *f.*, interview.

entr'ouvrir (s'), to half open, open a little.

envahir, to invade.

envelopper, to envelop, wrap up.

envie, *f.*, wish, desire; **avoir — de,** to wish.

envoyer, to send; **— aux renseignements,** to send to make inquiries.

épaule, *f.*, shoulder.

épouser, to marry.

équipage, *m.*, equipage, equipment; **train des —s,** wagon-train.

escadron, *m.*, squadron, troop (*cavalry*).

escalier, *m.*, staircase, stairs.

espérer, to hope.

esprit, *m.*, mind.

essai, *m.,* trial, experiment, sample; **à l'—,** on trial.

essayer, to try, try on.

essentiel, *m.,* essential point.

essuyer, to wipe, wipe away.

et, and.

étincelant, –e, sparkling, glittering.

étonnant, –e, astonishing, amazing.

étonné, –e, astonished, surprised.

étonnement, *m.,* astonishment.

étourdiment, thoughtlessly, blunderingly.

étrangler, to strangle, choke.

être, to be; **c'est que,** it is because, the fact is; **soit,** all right, very well.

eux, they, them.

événement, *m.,* event.

évidemment, evidently, obviously.

exactement, exactly, accurately.

exemple, *m.,* example.

exercice, *m.,* exercise.

expirant, –e, expiring.

explication, *f.,* explanation.

expliquer, to explain; **s'—,** to explain oneself.

exposer, to expose.

exprès, on purpose.

extraordinaire, extraordinary.

extrémité, *f.,* extremity, end.

F

face, *f.,* face, front; **en — de,** in front of, opposite.

fâcher (se), to get angry.

facilement, easily.

façon, *f.,* way, manner, (strange) way; **de — à,** so as to.

facteur, *m.,* postman.

faiblesse, *f.,* weakness.

faire, to make, do, be doing, cause, have, form, take, give, play, pronounce, compose; **— —,** to cause to make; to have made *or* taken.

faisan, *m.,* pheasant.

falloir, to be necessary, be obliged, must, should, ought.

famille, *f.,* family.

fatigué, –e, fatigued, tired.

fauteuil, *m.,* easy-chair, arm-chair.

faux-fuyant, *m.,* subterfuge.

femme, *f.,* woman, wife; **— de chambre,** maid.

fenêtre, *f.,* window.

fer, *m.,* iron.

fermer, to close, shut, lock.

ferré, –e (sur), well up in, versed in.

fête, *f.,* feast, festival, fair; **— de naissance,** birthday.

feu, *m.,* fire, ardor, vivacity, spirit.

feuilleter, to turn the leaves of.

fille, *f.,* daughter, girl; **jeune —,** girl, maiden.

fin, –e, fine, delicate, dainty, shrewd, acute, keen, sharp.

finir, to finish, end, stop.

flamber, to blaze, flame, burn.

flâner, to lounge, saunter, stroll.

flot, *m.,* wave, torrent.

foi, *f.,* faith; **ma —!** why!

foin, *m.,* hay.

fois, *f.,* time; **à la —,** at the same time; **deux —,** twice.

folie, *f.,* folly, madness, nonsense, silly thing.

folle, *f.,* madwoman; **petite —,** little goose.

fond, *m.,* bottom, back part, further end.

fondre, to melt; **— en larmes,** to burst into tears.

forêt, *f.,* forest.

forme, *f.,* form.

fort, –e, strong, great; *adv.* very.
fou, folle, mad, wild, silly.
franc, *m.,* franc (*about* 20 *cts.*).
français, –e, French.
frère, *m.,* brother.
frisotter, to curl.
frôler, to graze, touch lightly.
front, *m.,* forehead.
fumer, to smoke.
fumoir, *m.,* smoking-room.
furieu–x, –se, furious.

G

gager, to wager.
gagner, to earn, make.
gai, –e, gay.
galon, *m.,* stripe.
galop, *m.,* gallop; **prendre le —,** to fall into a gallop; **grand —,** full gallop; **au —,** galloping, in a gallop.
galoper, to gallop.
gamme, *f.,* gamut, scale; **faire des —s,** to run the scales.
garçon, *m.,* boy.
garde, *f.,* guard; **prendre —,** to take care.
garder, to keep.
garnison, *f.,* garrison.
gâter, to spoil, hurt; **ne — rien,** to do no harm.
gêner, to bother, annoy, inconvenience.
général, *m.,* general; **— en chef,** general in chief.
genou, *m.,* knee; *pl.,* knees, lap; **être à —x,** to be on one's knees.
gens, *m., f., pl.,* people; **jeunes —,** young men.
gentil, –le, pretty, nice.
Georges, George.
glace, *f.,* ice.
glisser, to slip; **se —,** to slip, glide.
goguenard, –e, bantering.
grâce, *f.,* grace, gracefulness, charm.

grand, –e, great, large, long, high.
grand'maman, *f.,* grandmother.
grand'mère, *f.,* grandmother.
grille, *f.,* gate (*of iron*).
grimace, *f.,* grimace, face, wry face.
gris, –e, gray.
gronder, to scold.
groom, *m.,* groom, foot-boy.
gros, –se, big, heavy, main, important.
guerre, *f.,* war.
guilleret, –te, sprightly, merry, in good spirits.

H

habiter, to inhabit, live in.
habitude, *f.,* habit, custom.
hasard, *m.,* chance, accident; **au —,** at random; **par —,** by chance.
hâte, *f.,* haste.
haut, –e, high.
hélas! alas!
Henri, Henry.
hésiter, to hesitate.
heure, *f.,* hour, o'clock; **de bonne —,** early; **tout à l'—,** by and by, presently, just now, a little while ago.
heureusement, luckily, happily, fortunately.
heureu–x, –se, happy.
hier, yesterday.
histoire, *f.,* history, story.
homme, *m.,* man.
honneur, *m.,* honor.
honte, *f.,* shame.
horreur, *f.,* horror; **faire —,** to fill with horror.
horriblement, horribly, terribly, frightfully.
huit, eight.
humiliant, –e, humiliating.
hussard, *m.,* hussar.

I

ici, here.

idée, *f.*, idea.

idiot, -e, idiot.

imaginer, to imagine.

imbécile, *m., f.*, imbecile, simpleton.

immobile, motionless, still.

impatienter (s'), to grow impatient.

impitoyablement, pitilessly, ruthlessly.

importer, to matter; **n'importe quoi,** no matter what.

imprimé, -e, printed.

imprudemment, imprudently.

incliner (s'), to bow.

inconnu, -e, unknown.

indication, *f.*, indication, direction, information.

indifférent, -e, indifferent; **être — à,** to care nothing about.

industriel, *m.*, manufacturer.

ineptie, *f.*, absurdity.

inerte, inert.

infini, -e, infinite.

informer, to inform; **s'—,** to make inquiries.

ingénieur, *m.*, engineer.

ingénieu-x, -se, ingenious.

inquiéter, to disturb, worry, make uneasy.

inquiétude, *f.*, uneasiness, anxiety; **une — me prend,** I'm worried about one thing.

inscrit, -e, inscribed, entered.

installer (s'), to install *or* place oneself.

instant, *m.*, instant; **à tout —,** every minute.

instinct, *m.*, instinct; **d'—,** instinctively.

institutrice, *f.*, teacher, governess.

intéresser, to interest.

intérêt, *m.*, interest.

interrompre, to interrupt, break off; **s'—,** to leave off.

intolérable, insupportable.

inviter, to invite.

irréprochable, irreproachable, faultless.

irruption, *f.*, irruption; **faire — dans,** to come into suddenly.

J

jamais, ever, never; **à —,** forever.

jambe, *f.*, leg.

jardin, *m.*, garden.

Jeanne, Jane, Joan.

Jeannette, Janet, Jenny.

jeter, to throw, utter.

jeudi, *m.*, Thursday.

jeune, young.

jeunesse, *f.*, youth.

joli, -e, pretty, good, fine.

joue, *f.*, cheek.

jouer, to play, act.

joujou, *m.*, toy, plaything.

jour, *m.*, day; **— par —,** day by day; **huit —s,** a week; **tous les —s,** every day; **quinze —s,** a fortnight; **ces derniers —s,** recently.

journal, *m.*, diary.

journée, *f.*, day.

joyeusement, joyfully, gleefully.

juger, to judge.

juin, *m.*, June.

Julie, Julia.

jument, *f.*, mare.

jusqu'à, to, up to, even to, as high as.

jusque, as far as, to, up to.

juste, just, right; *adv.*, precisely, right.

justement, precisely, exactly, sure enough.

L

là, there, (here); — -**dessus**, on that point, thereupon.

lâche, cowardly.

laid, -**e**, ugly, not nice.

laisser, to leave, let, allow.

langue, *f.*, tongue, language.

larme, *f.*, tear.

le, la, l', les, *art.*, the; *pron.*, him, her, it, them, so.

leçon, *f.*, lesson.

lecture, *f.*, reading.

lég-er, -ère, light, slight.

légèrement, slightly.

lendemain, *m.*, morrow, following day.

lentement, slowly.

lequel, laquelle, lesquels, lesquelles, who, that, whom, which.

lettre, *f.*, letter.

leur, them, to them, for them, of them; *poss. adj.*, their; *pl.*, **leurs**.

lever, to raise; **se** —, to get up.

lèvre, *f.*, lip.

liberté, *f.*, liberty.

lieu, *m.*, place; **tenir** — **de**, to take the place of.

ligne, *f.*, line.

lire, to read.

litre, *m.*, litre (*nearly one quart*).

littéralement, literally.

locataire, *m.*, *f.*, tenant, renter.

loge, *f.*, lodge, janitor's *or* porter's lodge.

loin, far.

long, -ue, long; **le** — **de**, along.

longtemps, a long time.

lorsque, when.

louer, to rent.

louis, *m.*, louis, twenty-franc piece.

Louis, Lewis.

Louise, Louisa.

loup, *m.*, wolf, 'bear.'

lui, he, him, to him, it, her, to her.

lui-même, himself.

lumière, *f.*, light.

lundi, *m.*, Monday.

M

M. (monsieur), Mr.

machine, *f.*, machine, engine; — **à vapeur**, steam-engine.

madame, *f.*, madam.

mademoiselle, *f.*, miss.

madrigal, *m.*, madrigal (*short amorous poem*).

mai, *m.*, May.

main, *f.*, hand; **tenir en** —, to hold, lead.

maintenant, now.

mais, but, why.

maison, *f.*, house, home.

maîtresse, *f.*, mistress.

mal, badly, ill.

malade, ill, sick.

mâle, male.

malgré, in spite of.

malheureu-x, -se, unhappy, unfortunate, wretched, unlucky.

mali-n, -gne, mischievous, sly.

maman, *f.*, mamma.

manche, *f.*, sleeve.

manège, *m.*, riding-school.

manger, to eat.

manière, *f.*, manner, way.

manœuvre, *f.*, manœuvre, drill.

manœuvrer, to manœuvre, drill.

manquer, to lack, be missing.

marché, *m.*, bargain; **par-dessus le** —, into the bargain.

mardi, *m.*, Tuesday.

mari, *m.*, husband.

mariage, *m.*, marriage.

marier (se), to get married.

maroquin, *m.*, morocco, morocco leather.

marquise, *f.*, marchioness.
martingale, *f.*, martingale.
matin, *m.*, morning; **tous les —s,** every morning.
matinée, *f.*, morning.
méchant, –e, bad, wretched, sorry.
meilleur, –e, *adj.*, better, best.
mêlé, –e, mixed, mixed up.
même, same, even, very, self; **c'est cela —,** just so.
mener, to lead, conduct, take.
mentir, to lie, fib.
merci, *m.*, thanks.
mercredi, *m.*, Wednesday.
mère, *f.*, mother.
mérite, *m.*, merit, worth, credit.
merveille, *f.*, marvel.
merveilleu-x, –se, marvellous.
messieurs, *m. pl.*, gentlemen.
mètre, *m.*, metre (*about* 39 *inches*).
mettre, to put, place, put on, put in; to bring; to devote; **se —,** to begin; to sit down.
midi, *m.*, noon.
mien (le), mienne (la), mine.
mieux, *adv.*, better, best.
milieu, *m.*, middle, midst; **au — de,** in the middle *or* midst of.
militaire, *m.*, soldier.
militaire, military.
mille, thousand.
mince, slender, slight, light.
ministère, *m.*, minister's office, ministry; **— de la guerre,** War Office.
minutieusement, minutely.
misérable, wretched.
Mlle (mademoiselle), Miss.
modestie, *f.*, modesty.
moi, I, me, to me, as for me, for my part; **à —,** mine.
moi-même, myself.
moindre, *adj.*, less, least.
moins, *adv.*, less, least, not so; **au —,** at least.

mois, *m.*, month.
mon, ma, mes, my.
monde, *m.*, world; **au —,** in the world; **tout le —,** everybody.
monotone, monotonous.
monsieur, *m.*, Mr., sir, gentleman.
montant, –e, ascending, uphill.
monter, to mount, ride, take a ride; to go up, go upstairs; to carry up, take up.
montrer, to show, exhibit; to point to; **se —,** to appear.
moquer (se), to ridicule, laugh (at), make fun (of).
morceau, *m.*, piece.
mordre, to bite.
mors, *m.*, bit.
mot, *m.*, word; **au bas —,** at the lowest figure.
mourir, to die; **se —,** to be dying.
mousseline, *f.*, muslin.
moustache, *f.*, mustache.
mouvement, *m.*, movement, move.
moyen, *m.*, means.
mystérieusement, mysteriously.

N

naissance, *f.*, birth.
naïvement, naïvely, ingenuously.
naturel, –le, natural.
naturellement, naturally.
ne, not; **— ... pas,** not; **— ... plus,** no more, no longer; **— ... rien,** nothing; **— ... que,** only, anything but, nothing but, not ... until.
nécessité, *f.*, necessity, need.
nettement, clearly.
neuf, nine.

ni, nor; — ... —, neither ... nor.

nigaud, *m.*, simpleton.

noir, -e, black.

nom, *m.*, name.

nommer, to name, appoint; **se —,** to be named.

non, no, not.

note, *f.*, note, entry.

noter, to note, note down.

notre, nos, our.

nourriture, *f.*, food, provender.

nouveau, nouvel, *m.*, **nouvelle,** *f.*, new, another.

nul, -le, no, not any.

nullement, not at all, by no means.

numéro, *m.*, number.

nu-tête, bareheaded.

O

obéir, to obey.

obligé, -e, obliged.

obligeance, *f.*, kindness.

obliger, to oblige.

obtenir, to obtain, get.

occasion, *f.*, occasion, opportunity.

occuper, to occupy, have, hold.

octobre, *m.*, October.

œil, *m.*, eye.

œuvre, *f.*, work; **ne faire — de ses dix doigts,** to do no earthly thing.

officier, *m.*, officer.

oiseau, *m.*, bird.

on, l'on, one, some one, we, people, you, they.

oncle, *m.*, uncle.

onze, eleven.

or, *conj.*, now.

ordinaire, ordinary, usual; **à l'—,** usually.

ordonnance, *f.*, orderly.

ordre, *m.*, order.

oreille, *f.*, ear.

oser, to dare.

ou, or.

où, where, in which, when.

oublier, to forget.

ouf! whew!

oui, yes.

ouvert, -e, open.

ouvrir, to open; **s'—,** to open.

P

paille, *f.*, straw.

pain, *m.*, bread.

pâle, pale.

paquet, *m.*, package, bundle.

par, by, through, on, with, for.

paraître, to appear, seem, make one's appearance.

parce que, because.

par-dessus, above.

pardon, *m.*, pardon, I beg your pardon.

pareil, -le, like, similar, such.

parfait, -e, perfect, irreproachable.

parfaitement, perfectly, completely, quite.

parisien, -ne, Parisian.

parler, to speak, talk.

parole, *f.*, word; **porter la —,** to be the spokesman *or* spokeswoman; **prendre la —,** to begin to speak.

part, *f.*, part, place; **nulle —,** nowhere, anywhere; **de votre —,** from you; **de la — de,** on the part of, from.

partir, to depart, leave, go, start; **à — de maintenant,** from now on.

partout, everywhere, all over.

pas, not.

pas, *m.*, step, walk, pace; **au —,** in a walk; **mettre au —,** to bring to a walk; **se mettre au —,** to bring one's horse to a walk.

passé, *m.*, past.

passer, to pass, pass by, pass on; to spend; **se —**, to elapse, pass; to be done; to be spent; to happen, be going on, take place; **faire — sa carte**, to present one's card.

passionné, -e, passionate.

patriote, patriotic.

patron, *m.*, master of the house.

pauvre, poor.

pavillon, *m.*, pavilion, wing of a building.

payer, to pay, pay for.

peignoir, *m.*, dressing-gown, wrapper.

peine, *f.*, pain, sorrow, difficulty; **à —**, hardly, no sooner; **avoir de la — à**, to find it hard to.

pelham, *m.*, Pelham bit.

penchant, *m.*, penchant, liking.

pencher (se), to lean, bend over.

pendant, during, for; **— que**, while.

pénétrer, to penetrate, fathom.

penser, to think.

pension, *f.*, boarding-house, mess.

perçant, -e, piercing, keen.

perdre, to lose.

père, *m.*, father.

perle, *f.*, pearl, 'jewel.'

permettre, to permit, allow; **se —**, to allow oneself.

perron, *m.*, steps.

personne, *f.*, person, woman; **jeune —**, young lady; **ne . . . —**, any one, no one; *pl.*, people.

personnel, -le, personal.

perte, *f.*, loss; **à —**, at a loss.

petiot, -e, little one, dear.

petit, -e, little, small, light, short, faint, dear.

petite, *f.*, dear, darling.

peu, little, few; **un —**, a little,

rather, somewhat, just; **un — moins**, not quite so.

peur, *f.*, fear; **avoir —**, to be afraid.

peut-être, perhaps.

photographe, *m.*, photographer.

phrase, *f.*, sentence, phrase; talk, rigmarole; **en deux —s**, in a jiffy.

pied, *m.*, foot; **coup de —**, kick.

Pierre, Peter.

pierrot, *m.*, clown.

pivoine, *f.*, peony.

place, *f.*, place, room; **sur —**, on the spot.

plaisir, *m.*, pleasure.

plateau, *m.*, tray.

plein, -e, full.

pli, *m.*, fold.

plissé, *m.*, plait.

plomb, *m.*, lead.

plongé, -e, plunged, absorbed.

plume, *f.*, feather.

plus, more, most; **non —**, neither, either.

plusieurs, several, many.

poids, *m.*, weight, burden.

point, *m.*, point, time, degree.

pointe, *f.*, point, tip; **sur la — des pieds**, on tiptoe.

politesse, *f.*, politeness; **faire une —**, to be polite, show politeness.

poney, *m.*, pony.

porte, *f.*, door.

porter, to bear, carry, take.

portière, *f.*, door-curtain.

portrait, *m.*, portrait, picture.

poser, to place, put; to ask; to sit for one's picture; **se — une question**, to ask oneself a question.

positivement, positively, exactly, precisely.

pouf, *m.*, stool (*padded*).

pour, for, to, so as to, in order to, as, about, on account of.

pourquoi, why.

pourtant, however.

pourvu que, provided that, I only hope that . . .

pousser, to push, carry.

poussière, *f.*, dust.

pouvoir, to be able, can, may; **tu aurais pu,** you might have.

pouvoir, *m.*, power, authority.

précipiter (se), to rush, happen thick and fast.

premi–er, –ère, first.

prendre, to take, get into, acquire, seize.

préoccupé, –e, preoccupied, anxious.

préparer, to prepare.

près, near; **— de,** near; **de tout —,** very near, closely.

présence, *f.*, presence; **en —,** in the presence (of), face to face.

présent, *m.*, present, present time; **à —,** at present.

presque, almost, nearly.

prévenir, to warn, forewarn, let know.

prier, to pray, beg, ask; **je t'en prie,** I beg of you.

prière, *f.*, prayer, entreaty.

printemps, *m.*, spring.

prix, *m.*, price; **à tout —,** at any cost.

probablement, probably.

prochain, –e, next.

profiter, to take advantage, avail oneself.

profond, –e, profound, great, thorough.

progrès, *m.*, progress.

projeté, –e, planned.

prononcer, to pronounce.

proposer, to propose, offer.

protester, to protest.

publier, to publish.

puis, then.

puisque, since.

Q

quand, when.

quant à, as for, as to.

quarante, forty.

quart, *m.*, quarter.

quartier, *m.*, quarters, barracks.

quatre, four.

que, whom, that, which, what, what? how! than, as, when, (let); **— de . . .!** what a quantity, number, of . . .!; **qu'est-ce que? qu'est-ce que c'est que?** what? what is?

quel, –le, what, what a.

quelque, some, any, a few; **— chose,** something, anything.

quelquefois, sometimes.

quelqu'un, –e, somebody, some one.

qui, who, whom, whoever, that, which, what.

quinzaine, *f.*, some fifteen, fortnight; **— de jours,** fortnight.

quinze, fifteen.

quitter, to quit, leave, part with.

quoi, which, what; **—!** what!

quotidien, –ne, daily.

R

rabâcher, to repeat over and over.

raconter, to recount, narrate, tell.

radouci, –e, pacified, appeased.

raison, *f.*, reason, right; **avoir —,** to be right; **entendre —,** to listen to reason.

ramener, to bring back, take back.

rappeler (se), to remember, recall to mind.

rapport, *m.*, report.

rare, rare, uncommon.

ravi, –e, delighted.
ravissant, –e, bewitching, charming.
réapparition, f., reappearance.
recevoir, to receive.
récit, m., relation, account.
recommander, to recommend.
recommencer, to begin again or over again.
reconduire, to escort, accompany.
reconnaissance, f., gratitude.
reconnaissant, –e, grateful.
reconnaître, to recognize.
réflexion, f., reflection, thought.
refuser, to refuse.
regard, m., look, glance, gaze.
regarder, to look, look at, consider.
régler, to settle.
rejoindre, to rejoin, join.
relié, –e, bound.
remarquable, remarkable, wonderful.
remarquer, to notice.
remercier, to thank.
remise, f., carriage-house.
remonter, to go up again.
remporter, to carry away, win.
remuer, to move, stir, touch.
rencontre, f., meeting, accidental meeting.
rencontrer, to meet.
rendre, to render, make, pay.
renouer, to renew.
renseignement, m., information.
rentrer, to reenter, go or come back, return, return home, go or come back into the house.
renvoyer, to send away, dismiss.
reparler, to speak again.
repartir, to set out again.
répéter, to repeat.
répliquer, to reply, answer.
répondre, to answer.
réponse, f., answer.

reprendre, to resume, continue.
reprise, f., resumption, renewal; **à trois ou quatre —s,** three or four times.
reprocher, to reproach, chide.
république, f., republic.
résigner (se), to resign oneself.
résolument, resolutely.
respectable, respectable, fair, rather large.
respectueu-x, –se, respectful.
respiration, f., respiration, breath; **retenir sa —,** to hold one's breath.
restant, m., remainder, remnant.
rester, to remain, keep, be, stay; **en —,** to stop.
retenir, to hold back, restrain.
retomber, to fall again, fall.
retour, m., return, coming back.
retraverser, to cross again.
retrouver, to find again, run across.
réussir, to succeed.
rêve, m., dream.
réveillé, –e, awake.
réveiller, to awake; **se —,** to be awakened.
revenir, to come back, return.
rêver, to dream.
revivre, to live again.
revoilà, there . . . is again.
revoir, to see again; **au —,** good-bye.
revue, f., review; **passer en —,** to review, glance over.
riche, rich.
ridicule, ridiculous, silly.
rien, nothing, anything; **— que,** merely.
rire, m., laughter.
robe, f., dress, coat (of horses).
rôder, to roam, rove, prowl.
roman, m., novel, romance.
rompre, to break.
rose, pink.
rouan, –ne, roan.

rouge, red.
rougir, to blush.
rouler, to roll, roll up.
route, *f.*, road, way, course.
rue, *f.*, street.

S

sac, *m.*, sack, bag.
sage, gentle.
saisir, to seize.
salle, *f.*, room; — **à manger,** dining-room.
salon, *m.*, drawing-room, parlor.
saluer, to bow.
salut, *m.*, bow.
samedi, *m.*, Saturday.
sang, *m.*, blood.
sanglot, *m.*, sob.
sans, without; — **cela,** were it not for that.
sauf, save, subject to.
sauter, to jump, leap.
sauvage, *m.*, savage, unsociable fellow.
sauver, to save; **se —,** to escape, run away, be off.
savant, -e, learned, trained.
savoir, to know, find out.
se, himself, herself, itself, themselves, oneself, to himself, *etc.*
séance, *f.*, sitting.
sec, sèche, dry.
sèchement, dryly.
sécheresse, *f.*, dryness.
secours, *m.*, succor, aid.
secr-et, -ète, secret.
secret, *m.*, secret, secret spring.
séduire, to win, captivate.
selle, *f.*, saddle; — **de femme,** side-saddle.
semaine, *f.*, week; **de —,** on duty for the week.
sembler, to seem.
sens, *m.*, sense, meaning.

sensible, perceptible.
sentiment, *m.*, sentiment, feeling.
sentir, to feel.
sept, seven.
sérieusement, seriously, in earnest.
service, *m.*, service, regular military duties.
servir, to serve.
seuil, *m.*, threshold.
seul, -e, alone, only, sole, single, one only, only one
seulement, only, not until, but.
sévèrement, severely, sternly.
si, if, what if, if only, whether, so, such, yes; — **bien que,** so that; — **fait,** yes, indeed.
siège, *m.*, seat.
simplicité, *f.*, simplicity.
singuli-er, -ère, singular, odd, queer.
sœur, *f.*, sister.
soin, *m.*, care.
soir, *m.*, evening; **tous les —s,** every evening.
soldat, *m.*, soldier.
soleil, *m.*, sun; **au —,** in the sun *or* sunshine.
son, sa, ses, his, her, its, one's.
sonner, to ring the bell.
sorte, *f.*, sort, kind, manner; **en quelque —,** so to speak, as it were; **de la —,** thus, in that manner.
sortir, to go out, leave.
souple, supple, lithe, lithesome.
sourire, to smile.
sourire, *m.*, smile.
sous, under, (in), (before).
sous-lieutenant, *m.*, sub-lieutenant, second lieutenant.
soutenir, to hold up, support.
souvenir (se), to remember.
souvenir, *m.*, memory, remembrance.
souvent, often.
strictement, strictly, securely.

stupéfaction, *f.*, astonishment.
stupéfait, -e, stupefied, astounded.
stupide, stupid.
subitement, suddenly.
suffire, to suffice.
suffisamment, enough, sufficiently.
suffoqué, -e, suffocated, thunder-struck.
suite, *f.*, continuation, succession; **tout de —,** immediately.
suivant, -e, following.
suivre, to follow, ensue.
sujet, *m.*, subject.
sur, on, upon, (in), over, about, concerning.
sûr, -e, sure, certain, surely.
surprendre, to surprise, take by surprise.
surtout, above all, especially.
susdit -e, aforesaid.

T

tâcher, to try.
taille, *f.*, size.
tandis que, while.
tant, so much, so many, so long; **— que,** as long as.
tante, *f.*, aunt.
tapinois (en), stealthily, slyly.
tapisserie, *f.*, hangings.
tel, telle, such, such and such, certain.
télégraphe, *m.*, telegraph.
télégraphique, telegraphic, concise.
temps, *m.*, time; **de — en —,** from time to time; **depuis quelque —,** lately.
tendre, tender, loving.
tendrement, tenderly.
tendresse, *f.*, tenderness, fondness.
tenir, to hold, keep; **— à,** to be

desirous, anxious; **se —,** to keep, stay, sit; **s'en —,** to stop; **tiens!** well! why! here! see here! look here! wait! listen!; **tenez,** for example.
tentation, *f.*, temptation.
tenue, *f.*, dress, bearing, appearance.
terme, *m.*, term, word, expression.
terrain, *m.*, ground, drill-ground, position.
terrasse, *f.*, terrace.
terre, *f.*, earth, ground; **par —,** on the floor *or* ground.
terriblement, terribly.
tête, *f.*, head; **en — de,** at the head of.
textuellement, verbatim, word for word.
thé, *m.*, tea.
tirer, to draw, get, obtain.
tiroir, *m.*, drawer; **— à secret,** drawer with a secret spring, secret drawer.
toi, thee, thou, you; **à —,** thine, yours; it is your turn.
toilette, *f.*, toilet.
toi-même, thyself, yourself.
ton, ta, tes, thy, your.
tort, *m.*, wrong; **avoir —,** to be wrong; **à — et à travers,** at random.
tortiller, to twist.
toujours, always, still, all the same.
tour, *m.*, turn, walk; **faire un —, un petit — à pied,** to take a stroll; **à mon —,** in my turn.
tourner, to turn, scheme.
tout, toute, *pl.*, **tous, toutes,** all, whole, every, sole; *adv.*, wholly, entirely, quite, very; *noun,* everything; **— de suite,** immediately; **du —,** at all; **— de même,** all the same; **—**

à fait, quite, altogether; — en (*before a pres. part.*), while; —e une conversation, a long conversation.

trahir (se), to betray oneself.

train, *m.*, train, railway train; en — de, in the act of, busy, about to.

traîner, to drag, draw.

traiter, to treat, discuss.

tranquille, tranquil, quiet, still, undisturbed.

tranquillement, calmly, tranquilly.

transcrire, to transcribe, copy.

travail, *m.*, work.

travailler, to work.

travers (à), through; à tort et à —, at random.

treize, thirteen.

tremblant, -e, trembling.

très, very, much, very much, highly, greatly.

tresse, *f.*, braid.

trimbaler, to drag about.

trimestre, *m.*, quarter of a year.

triomphant, -e, triumphant, exultant.

trois, three.

troisième, third.

tromper, to deceive; se —, to be mistaken.

trop, too, too much, too many, too well.

trotter, to trot.

trouble, *m.*, trouble, confusion.

troubler, to trouble, confuse.

trouver, to find, see, think of; se —, to be.

tuer, to kill.

U

un, -e, a, an, one.

uniforme, *m.*, uniform.

unique, only, sole.

V

vaguement, vaguely.

val, *m.*, valley, vale.

valoir, to be worth.

vapeur, *f.*, steam.

veille, *f.*, day before, evening before.

vendre, to sell.

vendredi, *m.*, Friday.

venir, to come, occur; — de (*before an infin.*), to have just.

verbe, *m.*, verb.

véritablement, truly, really.

vérité, *f.*, truth.

vers, towards, about.

victoire, *f.*, victory.

vie, *f.*, life; jamais de la —, never in the world.

vieillir, to grow old.

vieux, vieil, *m.*, vieille, *f.*, old.

vigoureu-x, -se, vigorous.

vingt, twenty.

vingtaine, *f.*, score.

vingt-cinq, twenty-five.

vingt et unième, twenty-first.

visage, *m.*, face.

visite, *f.*, visit, call.

vite, quick, quickly, fast.

vivacité, *f.*, vivacity, ardor.

voici, here is, here are, behold; — que, all at once.

voilà, there is, there are, that is, there was, there were, then, thereupon, behold, lo; — que, now, well.

voile, *m.*, veil.

voir, to see, look at; se —, to see each other, be seen; voyons, come! let me see, let us see.

voiture, *f.*, vehicle, carriage.

voix, *f.*, voice.

voleu-r, -se, thief.

volontiers, willingly.

volte, *f.,* volt.

vouloir, to wish, want, try; to be willing; to like; — **bien,** to like; — **dire,** to mean; **en** — **à,** to have a grudge against, be angry with.

voyage, *m.,* voyage, travel.

vrai, –e, true, real; *adv.,* truly, in truth.

vraiment, truly, really.

vue, *f.,* sight; **de** —, by sight; **à première** —, at first sight.

vulgaire, vulgar.

Y

y, *adv.,* there, thither; *pron.,* to it, him, her, them, of it, *etc.*

yeux, *pl. of* œil, eye.

ADVERTISEMENTS